Le Peintre d'éventail

Un rêve de glace, roman.

La Cène, roman.

Julien Gracq, la forme d'une vie, essai.

Oholiba des songes, roman.

L'Âme de Buridan, récit.

Meurtre sur l'île des marins fidèles, roman.

Le Bleu du temps, roman.

La Condition magique, roman,
Grand Prix du roman de la SGDL 1998.

L'Univers, roman.

Du visage et autres abîmes, essai.

Petits sortilèges des amants, poèmes.

Le Ventriloque amoureux, roman.

Le Nouveau Magasin d'écriture, essai.

Le Nouveau Nouveau Magasin d'écriture, essai.

Palestine, roman,
Prix des cinq continents de la Francophonie 2008 ;
Prix Renaudot Poche 2009.

Géométrie d'un rêve, roman.

Vent printanier, nouvelles.

Nouvelles du jour et de la nuit : le jour, nouvelles.

Nouvelles du jour et de la nuit : la nuit, nouvelles.

Opium Poppy, roman.

Les Haïkus du peintre d'éventail.

HUBERT HADDAD

LE PEINTRE D'ÉVENTAIL

Roman

« À LA MÉMOIRE DE ZULMA
VIERGE-FOLLE HORS BARRIÈRE
ET D'UN LOUIS »
TRISTAN CORBIÈRE

ZULMA
122, boulevard Haussmann
Paris VIIIᵉ

Cette vie incertaine, un éclair ?
Était-ce bien cela ? Ou autre chose ?

CHIKAMATSU MONZAEMON

Mon nom est Xu, Xu Hi-han. Je suis né de parents chinois de Taïwan expatriés dans l'après-guerre à Katsuaro, pas bien loin d'ici, un gros village du district de Futaba. Voici un peu moins d'une décennie – âgé d'à peine quinze ans, je n'étais bon alors qu'à décalquer les œuvres des peintres lettrés sur des feuilles de riz – une bonne fortune m'a permis de rencontrer Matabei Reien et de fréquenter quelques années son modeste atelier de la contrée d'Atôra. Je crois bien que personne au Japon ne connaissait son nom à l'époque, en tout cas parmi ses pairs. De son vivant, Matabei Reien n'a guère eu le temps de faire de moi un maître, mais je me présente volontiers aujourd'hui comme son disciple avec cette outre-cuidance du dernier témoin. Il n'empêche que, sans les patientes recherches du professeur Xu Hi-han sur son œuvre et sa vie, compte tenu des circonstances, le peintre d'éventail serait demeuré à jamais inconnu. Cette perspective lui était du reste parfaitement indifférente. D'autant qu'il se méjugeait allègrement à l'avantage d'un maître local encore plus humble que lui.

Matabei Reien n'était nippon que de mère, ce qui expliquait en partie son isolement et sa réserve. Son père, un riche exilé birman, avait séduit et épousé une jeune fille de la province de Kyoto, avant la seconde guerre sino-japonaise. Comme les traditions de l'époque l'exigeaient, et malgré la xénophobie ambiante, il s'était fait adopter par sa belle-famille et avait pris le nom de la jeune fille : Reien. Matabei, leur unique enfant, a grandi dans un orphelinat à la suite du bombardement qui anéantit les siens, tous les siens, à quelques semaines de l'armistice. Puis il a vécu et voyagé avant de finir parmi les grands arbres d'Atôra, dans ce bord isolé du district, entre montagne et Pacifique.

Je n'oublierai jamais les derniers mots de Matabei : « Écoute le vent qui souffle. On peut passer sa vie à l'entendre en ignorant tout des mouvements de l'air. Mon histoire fut comme le vent, à peu près aussi incompréhensible aux autres qu'à moi-même. » La veille de mes dix-huit ans, à la suite d'une violente dispute avec mon maître, noyé de regrets mais résolu, j'étais parti vivre et étudier à Tokyo. Si je suis revenu dans la contrée d'Atôra, travaillé par un pressentiment, c'est après l'avoir découvert en piteux état, hagard, le visage tuméfié, sur une photographie d'un magazine à sensation datant du mois de mars. Il arrive que le repentir perturbe profondément vos rêves, assez pour vous avertir avec une coulante exactitude de ce qui se passe à deux cent trente kilomètres.

Parti à l'aube, il m'aura fallu cinq à six heures de route pour parvenir à destination ; et au moins deux de plus pour gagner à pied les pentes boisées de la première montagne. C'est avec une émotion d'adolescent que j'ai retrouvé l'ermitage, à une heure de marche du lac Duji. N'y tenant plus, je me suis précipité jusqu'à la porte, la gorge nouée par l'appréhension. Il était là, vivant ! Enveloppé dans un plaid, Matabei me considérait avec bienveillance, mais sa face creusée et ses bras squelettiques m'effrayèrent. C'est à peine si je le reconnus. Il m'a montré du doigt un petit réchaud et une bouilloire. « Hi-han ! Mon cher Hi-han ! s'est-il exclamé. Fais-nous du thé bouillant comme autrefois et viens donc t'asseoir près de moi. » Il pouvait être trois heures de l'après-midi. Je me suis assis au coin de son futon et ne me suis relevé qu'au déclin du jour. Quand je suis reparti pour Tokyo, le lendemain, deux grandes valises rigides dans le coffre de ma berline, c'est avec cette mélancolie exaltée du rescapé en charge d'un trésor inestimable. J'avais accompli seul les rites d'adieu, en prenant tout mon temps malgré les risques encourus.

L'essentiel des paroles de Matabei (dont j'étais à peine le destinataire), le voici rapporté, comme j'ai pu l'entendre en ce dramatique jour de réconciliation.

À quoi bon revenir sur mes errements. Un vieil homme n'a que le temps de détisser et retisser son linceul. Tu sais déjà presque tout du pauvre Matabei, peintre sur éventail qui n'aura vécu que d'espérance jusqu'à l'heure du chaos. Quand je me suis installé dans la pension de dame Hison, en bas de la première montagne, c'était seulement pour quelques jours, histoire de changer d'air.

Les arbres cachent tout ce qui ne mérite pas d'être vu. Il y avait des cèdres de Chine sur les pentes, un magnifique ginkgo qui attire les pèlerins, des chênes bleus et de beaux châtaigniers, des érables rouges jusqu'au pont de bois qui sert ou qui ne sert pas sur la rivière étourdie, entre le lac Duji et la forêt de bambous géants recouvrant d'ombres vertes le versant sud de la première montagne. Et puis cette lumière cendrée que j'aimais, les matins de brume, l'harmonie des plantations de théiers au détour des chemins, la neige sur nos têtes dès la fin de l'automne. Jamais je n'ai recensé tant d'oiseaux différents que dans les parages du lac Duji. C'est par leurs chants qu'on les découvre, au début. Un chant nouveau, et c'est un bec-croisé des sapins, une grive dorée, une espèce de pluvier ou de bécasseau. Le cri du rollier, je t'assure, n'est pas celui de la chouette. Seul l'Oiseau Vermillon ne chante pas. J'ai appris à reconnaître et à peindre chaque volatile.

Bec et plumes
l'encre est à peine sèche
qu'il s'envole déjà

Dame Hison m'avait accueilli dans sa pension de famille qui n'hébergeait guère que des célibataires, pas loin du plus gros bourg d'Atôra, entre le tertre du crématorium municipal et les contreforts boisés de la première montagne. De la fenêtre de ma chambre, je pouvais apercevoir un détail de la mer et toutes les constructions grises du littoral, ces pylônes, ces tours et ces cargos fumants. En bordure d'une route à peu près déserte, le pavillon de l'auberge cachait de toute sa façade le plus beau jardin qui fût. Dans le fond, sous l'ombre du grand châtaigner, il y avait une baraque calfatée comme une coque de bateau et qu'un petit vieux d'apparence anodine occupait. Infortuné comme je l'étais, il m'aura fallu presque un an pour manifester quelque intérêt à sa présence. C'est que maître Osaki avait atteint un rare degré d'invisibilité.

De mon côté, j'avais vite pris mes aises chez dame Hison. Elle tenait une manière de gîte rural qui attirait les fugitifs en tout genre. Point de famille, chez elle, comme je le disais, à part un jeune couple adultère réfugié là pour échapper à la vindicte du mari et de son clan. L'endroit ne manquait pas de charme, malgré les crémations sur la butte proche, la fumée qui montait derrière un rideau de cyprès et cette odeur quand elle se rabattait. On n'y croisait d'ailleurs pas grand monde, des pèlerins taciturnes, des touristes égarés descendus d'un car pour un trekking sur le mont Jimura qui domine la première montagne. Plus souvent, quelques habitués, comme monsieur Ho en début de semaine, un bon vivant négociant en thé et grand buveur, Aé-cha l'éternelle vieille fille à demeure, coréenne d'origine qui croyait aux fantômes et entretenait une maison de poupées d'argile à peau de soie dans sa chambre de l'étage. Des ombres de la vie, en somme. Cette petite société était servie par une domestique bancale, ancienne planteuse de riz muette mais loin d'être sourde. À distance, depuis un appartement à part sous les combles, dame Hison gérait sa maison avec une certaine apathie. Veuve pensionnée à l'en croire, cette courtisane réformée avait sans doute besoin d'un appoint à ses subsides, et d'un peu de compagnie. C'était une belle femme mûre, très blanche de peau, aux formes pleines ; elle portait des kimonos d'été en toute saison et un incroyable chignon à triple niveau, vraie pagode couleur de corbeau.

Au début, je ne sortais guère de ma chambre. Je n'étais là que par hasard, pour me cacher et dormir. J'avais le jour en horreur. La lumière me retenait de bouger. La nuque sur l'oreiller, j'étudiais la fumée de ma cigarette dans un état d'inertie proche du dédoublement. En permanence furieux, rongé par le désir autant que par le remords, je doutais de ceci et de cela, de ce qui est et de ce qui n'est pas. Deux solitudes se croisent, à l'occasion, comme autrefois les Hommes Vagues brandissant leurs sabres sur un chemin retiré. Faire l'amour sauve au moins de l'amour. La chair pâle de dame Hison ne satisfaisait en moi que le petit animal. J'y trouvais la douceur de l'oubli, certaines nuits. Elle venait me rejoindre à sa guise, grattait à la porte, et sa blancheur de lune éclairait presque la chambre. C'est elle qui me proposa de rester, au tarif de l'amour. Peu à peu, le goût du plein air m'est revenu. Je sortais le matin très tôt, ou le soir. Ma prédilection pour les aurores tient à cette espèce d'insomnie du plein jour qu'on appelle l'ennui ; la nuit, je ne dormais pas davantage, à peine quelques heures. On dit que l'absence de sommeil provoque des hallucinations.

À l'approche du soir, la respiration de Matabei devint sifflante comme le vent entre les tuiles. Il m'avait raconté avec sérénité ses pires épreuves et il s'éloignait maintenant sous mes yeux tandis que je m'efforçais de régler la fonction magnétophone de mon téléphone cellulaire. Devais-je l'écouter benoîtement ou plutôt le secourir, appeler une ambulance illico, ou bien encore l'embarquer avec les deux valises dans ma voiture garée à trois kilomètres de ces contreforts, quitte à me mettre hors la loi ? Mon bienfaiteur intransigeant allait gagner l'au-delà et moi, Xu Hi-han, je m'inquiétais de ne rien perdre de ses derniers mots. Est-on jamais à la hauteur des événements ? Matabei s'apprêtait à affronter l'éternité tandis que je jouais avec une poussière. Tous mes gestes pour lui être utile à ce moment, le linge humide posé et reposé sur son front, et même les coups d'œil admiratifs que je lançais sur les trois éventails peints que des épingles fixaient au mur, n'étaient qu'une agitation impatiente de vivant face à l'importunité de l'inconnu. Le premier éventail, juste au-dessus de la lampe, représentait un vol de grues cendrées au couchant sur fond d'eaux miroitantes, couleur de pluie dans la lumière rosée, la pointe des ailes et les pattes noires, le bec effilé. On distinguait même la peau écarlate du crâne de chacune d'elles, en formation au-dessus des prairies de joncs. Tracés pareillement à l'encre, ces quelques mots :

> *Bientôt en cendre*
> *dans cette brume d'un soir –*
> *vol de grues cendrées*

Mal éclairé, le deuxième éventail montrait un personnage en difficulté sur un pont suspendu, guerrier de jadis appuyé sur sa lance qui tentait de gagner l'autre rive malgré la rivière torrentueuse comme une coulée de métal en fusion. Le poème disait, je me souviens :

> *Traversera-t-il*
> *l'épée tranchante du temps*
> *le vieux samouraï*

À peine distinct, le troisième éventail devait avoir été abandonné en cours d'élaboration car des coulures encore fraîches rendaient l'inscription illisible. Matabei n'avait pas eu la force de le sécher. On observait seulement un grand ciel d'automne avec une envolée de feuilles d'érable au premier plan et, au loin, le mont Jimura. Alors que mes yeux se plissaient sur cette énigme, mon maître s'exclama, d'une voix pourtant si faible : « Quand c'en sera fini de cette pénible comédie, promets-moi d'achever dignement le travail, cher fils… »

Jamais il ne m'avait appelé ainsi. Troublé, j'acquiesçai en mouillant la compresse dans un récipient. Un œil sur le troisième éventail, je me disais que seul Matabei avait dû peindre si souvent le mont Jimura. Fort humblement moi-même, après Hokusai ou Hiroshige, et comme des générations de touristes pèlerins à leur suite, j'avais consacré au mont Fuji bien des jours de méditation. Mais aucune fumée d'immortalité ne s'élève du mont Jimura. Matabei était en cela plus proche du sentiment juste. Seul toute une journée à son chevet de vie et de mort, seul encore une nuit entière à maudire le dieu des flammes qui brûla le ventre de sa mère, c'est moi Xu Hi-han, marmiton barbouilleur devenu maître de conférences à l'université de Tokyo, qui lui ai donné son nom pour l'au-delà, lequel demeurera à jamais caché des flâneurs de ce monde. Nous continuerons d'appeler Matabei, Matabei Reien, par ce bruit de bouche à la faveur du bruit léger du vent. On garde si peu d'une mémoire d'homme. À peine un signe en terre. Quelques images et de rares paroles au meilleur des cas. Moins que son poids de cendre après la crémation.

L'histoire vraie de Matabei Reien – celle qui concerne les amateurs de haïkus et de jardins – commence vraiment ce jour d'automne pourpre où dame Hison l'accueillit dans son gîte.

Au-dessus du lac Duji, la forêt de bambous géants envahissant l'immense cratère vallonné d'une combe, sur la pente sud de la première montagne, ne laissait rien voir de l'océan ou du mont Jimura, sauf depuis une certaine éminence calcaire atteignable par une sente tout encastrée d'un tressage de rhizomes semblable aux degrés d'une échelle. Matabei l'avait découverte par hasard, un jour de grand vent ; émerveillé par les motifs en frise de ce périlleux escalier, il s'était hissé de nœud en nœud jusqu'à l'élévation. Là, cerné par la houle du feuillage, un sentiment de quiétude oublié le saisit si ardemment qu'il s'inversait par instants en folle exaltation. Les bambous tintaient entre eux à mi-hauteur sous l'immense murmure des frondaisons, ils se percutaient sur toutes les notes avec un bruit de claquette, de flûte ou de cloches tubulaires et, parfois, quelques secondes, d'étranges harmonies rassemblaient tout ce souffle au bord d'une mélodie qui lui rappelait, resurgi de l'enfance, le chant d'un moine aveugle accompagné d'un luth à crosse droite. Entre les tiges agitées, côté levant, l'océan tempétueux écumait. On discernait, en fond sonore, le bourdon des paquets de vagues qui s'abattaient continûment. Le mont Jimura à l'opposite scintillait au-dessus de cette autre mer couleur d'émeraude où la plate-forme ancrait sa carène. Matabei, qui ne l'avait jamais vu ainsi, dans son ampleur d'ancien volcan, recouvra à ce moment le goût de dessiner. Mais il était parti sans matériel et, démuni, il se taillada l'extrémité de l'index avec une pointe de bambou. Sur un mouchoir de papier retenu au sol par des cailloux, il fit sa première esquisse depuis la mort d'une jeune fille percutée en sortant d'une voie souterraine de la banlieue de Kobe, quelques jours avant le séisme de 1995. Pourquoi souriait-elle ainsi devant ses roues ?

En même temps que son doigt saignait, le souvenir de ces années l'envahissait avec la véhémence du vent dans les branches. La vie allait son train alors malgré l'absence de liens. Il n'y avait plus trace de sa famille que dans une mémoire d'exil, mais il s'était à peu près reconstruit à Kobe, dans le quartier européen, où il menait de front une double activité de peintre abstrait et de *designer* avec un certain succès, après des études avortées d'ingénieur électrotechnique et divers emplois sans grand intérêt dans le secteur privé. De retour d'une virée à Kyoto, il y eut l'accident, le regard étonné de la jeune fille qu'il avait croisé un quart de seconde, son sourire aperçu une poussière d'instant, puis le choc de côté et cette danse qu'elle fit avant de basculer parmi les tulipes d'une bordure protégée. Il avait appelé les secours et s'était précipité à l'hôpital après les constats. Aux urgences, des heures en salle d'attente, il avait vu s'asseoir tour à tour une vieille femme placide et des jeunes gens affolés. En les écoutant prononcer le nom d'Osué et raconter leur attachement pour l'étudiante, il lui était devenu évident qu'elle ne quitterait plus son esprit, qu'il se dévouerait pour l'aider à se remettre, qu'il l'aimait déjà éperdument.

Le chirurgien encore en blouse, tard le soir, vint annoncer le décès d'Osué. Il avait la face pochée des noctambules de Kyoto et les cheveux trempés de sueur. « Elle m'a échappé, je suis vraiment désolé », crut-il bon d'ajouter, comme s'il parlait d'une tourterelle ou d'un ballon d'enfant gonflé à l'hélium.

La pension de dame Hison était pourvue d'une cuisine collective assez vaste pour que chacun y cuise son riz, avec une salle attenante où se restaurer, quand on préférait la compagnie. Moyennant un supplément en espèces, la domestique pouvait préparer un plateau sommaire midi et soir, avec un bol de nouilles au bœuf ou un plat de poisson. C'était, en semaine, la formule habituelle des célibataires. Aussi Matabei se retrouvait-il souvent en présence du négociant en thé et d'Aé-cha, dans la salle commune ; s'adjoignaient à eux, quelquefois, des randonneurs criards ou un moine pris de court par la nuit ou le mauvais temps dans son pèlerinage entre deux monastères. Moins fortunés ou jaloux de leur intimité, les autres locataires se débrouillaient le plus souvent par eux-mêmes ; certains s'approvisionnaient sur place, d'autres se rendaient au bourg proche, à pied ou à vélo, les jours de marché.

Monsieur Ho, toujours jovial, aimait plaisanter Aé-cha qui ne s'offusquait de rien, tout en préservant un air de dignité immémorial. Matabei intervenait peu dans leurs échanges. Il hochait la tête au-dessus de son plateau, pressant d'un rapide coup de baguettes le moment précieux du repli vers sa chambre. Mais il ne perdait rien des simagrées de cette molle communication entre individus mis en présence sans nécessité particulière. C'était chez lui presque un handicap, cette réceptivité aiguë aux phénomènes humains les plus impondérables. D'un simple clignement d'œil, il avait compris le malaise caché de cette vieille fille roidie comme un vêtement de cérémonie aux coupes seulement tenues par les aiguilles du tailleur.

— Vous n'êtes jamais retournée chez vous, en Corée ? disait le négociant, la bouche pleine.

— Chez moi, c'est ici, monsieur Ho, répliquait la maigre personne au visage de porcelaine.

— Excusez-moi d'insister, mademoiselle. Mais votre famille…

Aé-cha s'agita un peu sur son siège. Matabei remarqua les commissures relevées de ses lèvres sous le regard assombri. Cette esquisse de sourire apportait un démenti en même temps qu'un reproche impossible à formuler dans de telles circonstances. Il se dit qu'elle devait sûrement appartenir à cette génération issue du martyre. À Nagasaki, des milliers d'esclaves coréens étaient partis en fumée, mais bien d'autres, ailleurs, réchappèrent aux sévices locaux et aux bombardements ennemis.

— Et vous donc, monsieur Matabei ? s'exclama le négociant enivré de bière et de saké pour faire parade au silence.

Curieusement, la question resta en suspens. Matabei se leva et s'inclina, son plateau entre les mains. Dans son dos, vaguement, il entendit le rire un peu contrit du dîneur. Monsieur Ho cherchait en vain la complicité de la femme aux longues manches fleuries.

Depuis sa chambre, en ouvrant cloisons et rideaux, le jardin s'étendait de plain-pied. Le petit homme sans âge du chalet noir, au secret du précieux labyrinthe végétal, faisait office de jardinier. Chaque jour, il consacrait quelques heures aux arrangements de lys, de dahlias ou de chrysanthèmes, entre les rives moussues du bassin et les haies vives. On le voyait grimper sur un escabeau pour tailler les branches de prunus ou de camélias, drainer entre les pierres sculptées un ruisselet qu'alimentait une fontaine au bruit léger de cascade, ratisser le gravier blanc des allées. Quand il ne jardinait pas, le vieil homme retournait à son atelier et des odeurs de laques et d'essence se mêlaient aux parfums de la terre. Le soir, sous l'ombre du châtaignier, la baraque s'éclairait avant la nuit. On distinguait alors plus nettement l'habitant penché sur une table basse, à manier divers ustensiles. À tout moment, il soulevait un éventail de sa main gauche pour le contempler dans la lumière artificielle.

Depuis sa chambre, Matabei considérait avec une profonde émotion les gestes du peintre. Une sérénité d'un autre siècle émanait de ce globe de clarté au sein duquel un éventail assombri s'agitait de temps à autre comme l'aile d'un papillon de nuit. Il se souvenait avoir connu pareille grâce devant d'immenses toiles, autrefois, quand il s'immergeait dans les couleurs sans pensée aucune, seulement habité par un prodige d'harmonies indéchiffrables.

Dame Hison avait eu vent de la maison d'Atôra, en bas de la première montagne, au moment même où une fausse couche venait de l'éprouver. Elle avait toujours envisagé son activité de prostitution comme transitoire, mais dix-sept années passèrent et une grossesse importune était venue ranimer en elle le rêve d'une autre vie. Son issue dramatique, comme à rebours, changea cette aspiration en décision. C'est ainsi qu'elle acquit le pavillon et son jardin. Le vieux peintre d'éventail, protégé de l'ancien propriétaire, elle ne le chassa pas, mais s'en accommoda au contraire : au même titre que le bassin et les lanternes de pierre, il apportait à ces lieux inconnus d'elle un peu de cette intimité qui permettait de transiter sans trop de mélancolie d'un passé brumeux à une actualité encore floue.

Osaki Tanako élaborait des éventails de papier et de soie aux trois couleurs d'encre. Ses lavis et calligraphies, il en cédait quelques-uns à un proche monastère du district afin de pourvoir à l'éducation d'une jeune personne qu'il ne connaissait pas en propre, fille d'une nièce défunte, sa seule famille connue. Sans en avoir les aptitudes, mais avec un goût naturel, il était devenu le jardinier de son hôte en transposant son art de peintre à l'esthétique du jardin – manière pour lui de s'acquitter du gîte et du couvert. En friche au départ, celui-là devint un miracle d'agrément, saison après saison, à force de soins réfléchis et d'habile composition. Les scènes d'arbustes variés, de rochers, d'eaux joueuses et de massifs floraux aux couleurs maillées se distribuaient en étoile autour du bassin où tintait la fontaine aux trois déversoirs, avec partout des reflets et des palpitations venant autant des méandres du ruisselet principal que des jeux de lumière sur les corolles des magnolias ou les têtes des carpes koï. On pouvait s'y promener d'un espalier à l'autre, d'un rond-point dissymétrique à une serre ouverte, au gré des lanternes de pierre et des rigoles chantantes, cela jusqu'au minuscule pavillon de thé à l'extrémité nord, joli kiosque de bambous coiffé d'un toit de tuiles en forme de coupe d'obole retournée. Conçues pour la contemplation, des surprises visuelles étaient aménagées au détour des charmilles et des bosquets, rappelant le promeneur à quelque lointain de rêverie. Des rosiers sauvages, des fleurs des champs abondaient en certains endroits d'où les perspectives contrastées s'ouvraient sur un plan de végétation aléatoire aux allures de deuxième ou de troisième jardin incluant diverses échappées vers les hauteurs et le frisson lumineux des grands feuillus des pentes.

Certain d'être à peu près seul à s'égarer, l'esprit détaché de tout lien, Matabei ne manquait pas un crépuscule dans cet espace à la fois compact et délié où l'eau vive mariait d'une note discontinue le végétal au minéral. Un soir qu'il s'approchait du châtaigner, non loin de la baraque de bois noir, le vieil Osaki Tanako lui apparut, vêtu d'une robe de travail, simple *yukata* de coton blanc aux manches nouées d'une cordelette. Si chenu et maigriot, il donnait l'impression d'échapper à l'espèce humaine par l'inexpressivité de sa figure et le total défaut de cette espèce d'énergie contrainte qui maintient chacun debout. Immobile sur un petit banc, on eût pu le croire mort ou constitué de matériaux inertes comme le pantin ou l'épouvantail. Une mésange vint d'ailleurs se poser sur son épaule. Matabei, surpris de la rencontre, le salua sans savoir encore s'il devait s'arrêter ou poursuivre sa promenade.

Le peintre jardinier le sortit d'embarras en l'interpellant, ce qui fit s'envoler la mésange.

— Vous êtes le nouveau locataire, dit-il. On prétend que vous cherchez quelqu'un.

— Qui peut avancer une chose pareille ! s'étonna en riant Matabei.

De si près, forme de cendres blanches, l'œil

en flammèche errante, le vieil homme semblait à la limite de l'extinction. Pourtant, on l'avait vu la veille ratisser le gravier des allées et grimper dans les arbres. Délicat sous le masque de rides, un sourire flotta entre d'assez grandes oreilles.

— Je sais aussi que vous êtes un peu artiste.

— Alors c'était dans une autre vie !

Matabei s'amusait de ce dialogue sans grand ancrage. Il ne connaissait rien de cet homme hormis la merveille d'un jardin né de gestes quotidiens. C'est avec une vraie curiosité qu'il accepta de prendre le thé dans la baraque aux éventails.

Escalader les pentes, juste avant l'aube, avec en tête un rêve de daims et d'ibis huppé. Si tôt, le chant du rossignol prend une inflexion lasse. A-t-il veillé toute la nuit ? Bientôt, les contreforts aux futaies damassées de sous-bois rougeoyants de la première montagne reçoivent la grêle de flèches à penne d'or du soleil levant qui, volées après volées, retombent en gerbes parmi les taillis de sureaux et de coudriers. Les ombres lentement se redressent, pins et chênes, érables, cerisiers sauvages. Au-delà des derniers losanges de théiers, les chemins s'abandonnent aux empiètements de la flore, dentelles des lichens et affleurements de racines, comme aux menus accidents géologiques, rocs détachés, ruissellements dus à quelque résurgence de source, affaissements liés à d'anciens séismes.

Face aux ombres fuyantes, Matabei avait le sentiment de suivre l'ascension du soleil, d'en être coiffé, par-dessus l'éblouissement d'un pan calcaire ou d'eaux vives jaillies des bruyères. Une hirondelle se détacha des hautes feuilles jaunies d'un tremble et culbuta dans l'azur. L'été lui aussi s'accroche, songea-t-il, déjà sur la digue naturelle séparant le lac des cascades aux bonds d'antilope presque aussitôt métamorphosées en nappes d'écume, qui un peu plus bas vont s'y perdre. Les reflets s'agitent à cet endroit comme le contenu vivant d'une nasse sur le pont d'un sardinier. Quelques pas encore sur l'herbe fourrée de mousses aux teintes fauves qu'un désordre de feuilles pourrissantes et de brindilles rehausse en un paysage ininterrompu à la pointe des souliers, et il retrouve l'un de ses belvédères de verdure favoris, avec en contrebas, dans l'illumination du matin, l'océan impeccable et les côtes harnachées du béton des rades et des usines, puis, en limite des campagnes intermédiaires semées de hameaux et de bourgs, les vergers proches, en cette saison riches de couleurs plus que de fruits, et enfin les plantations de théiers, entre lesquelles on aperçoit, sans rien distinguer des merveilles du jardin, les toits de tuiles de la pension de dame Hison avec, à l'écart, la baraque d'Osaki sous la sombre ramure du châtaigner.

Nul autre parage à sa vie – il avait coupé les ponts depuis si longtemps. Les jours et les semaines avaient passé. Plus que la catastrophe qui occasionna des milliers de victimes et défigura ses paysages, la mort d'une jeune fille inconnue marquait la fin de sa vie antérieure, sans qu'il y eût d'après cohérent. À l'hôpital, dans la salle d'attente, il n'aurait su expliquer sa présence devant les deux étudiants et la vieille femme qui disait être la logeuse d'Osué. Personne en retour n'avait osé le questionner. Lassée de se taire, la vieille le prit en confidence. Elle lui révéla en reniflant des bribes de son histoire : le district d'où la jeune fille venait, l'absence patente de famille, la nature de ses études et son peu de relations. Il y avait à la fin un tel ton de reproche dans sa voix que l'idée lui vint qu'elle devait le prendre pour son père. Mais il n'était que le meurtrier. L'enquête de police du reste ne l'incrimina pas ; la victime traversait une voie rapide hors des passages autorisés. On l'interrogea néanmoins sur le détail de l'accident : n'avait-elle pas une attitude singulière, ne s'était-elle pas jetée au devant du véhicule ? Quelques jours plus tard, la terre tremblait à Kobe-shi, porte des esprits ouverte sur un abîme. Après le séisme, parti sur l'inspiration d'une nuit, il ne s'était plus manifesté à quiconque. Personne en fait ne s'inquiétait de lui, à Kobe comme à Kyoto.

Matabei fut distrait par le sifflement d'un milan noir. L'ombre de son vol cligna sur le soleil déjà haut. Il se détourna pour reprendre sa marche vers la forêt de bambous. À mi-chemin, au cœur d'une brande de bruyère cernée de chênes bleus et de frêles bouleaux épars qui achevaient de perdre leurs feuilles, se dressait un étroit pavillon de bois sur pilotis assez délabré, peint aux couleurs des sanctuaires shinto. Il s'était arrêté, intrigué par son aspect d'ermitage pour oiseaux. La cabane perchée semblait à l'abandon, mais il s'interdit d'y monter par un fond de superstition. L'état de désarroi où il se trouvait laissait prise aux diableries. Matabei se souvint de la surprenante sensation de délivrance, en amont, dans la forêt de bambous géants, sur les pentes ouest de la première montagne, et c'est d'un pas vif qu'il s'y dirigea. Dans cette solitude, les sortilèges se lasseraient, croyait-il. Mais il ne comprenait toujours pas sa folie. Nul ici n'avait mémoire d'elle. La maison d'enfance d'Osué était maintenant une pension de famille tenue par une ancienne geisha de second rang.

La respiration du vent dans l'océan de feuillage eût pu certes justifier tous les égarements. Il n'y avait rien de plus beau au monde que cette *halte du chemin oublié*. Matabei se retourna soudain. De nouveau sur le qui-vive, il contempla le balancement des bambous avec une sorte d'allégresse.

Tous les hivers n'en font qu'un, dans la mémoire de la neige, et le printemps renaît jusqu'au plus chaud de l'été, mais l'automne est éternel   c'est ce que se disait Matabei, assommé par la boisson et l'insomnie. Le temps s'écoulait uniformément, fleuve sans source ni estuaire. Ses journées avaient perdu tout contour ; les mêmes rêves d'exil l'assaillaient chaque nuit.

Seul le jardin le consolait de cette hémorragie blanche ou noire qui asséchait en lui l'énergie et le désir. Matin et soir, il y flânait d'une allure de plus en plus ralentie, jusqu'au moment de croiser le jardinier, dans une allée ou sous le châtaignier. Il s'étonnait toujours de nouvelles fleurs écloses – et celles qui s'étiolaient avaient des splendeurs –, de nouvelles teintes aux éclats fortuits ; le jeu saisonnier des sèves dans les ramées orchestrait des variations infinies de bleu orangé, de jaune ou de pourpre, sur fond de ciel et de montagne. Par instants, une curieuse impression saisissait le promeneur, surtout en fin de journée, quand la lumière oblique faisait tourner les ombres :

l'agencement de l'enclos révélait un tel équilibre à le parcourir ainsi, sans hâte, en s'arrêtant aux emplacements choisis, qu'il croyait voir un miroir de verdure et d'eau, presque un regard tourné sur lui, manière d'attention impersonnelle qui accompagnerait chacun de ses gestes et de ses pensées avec un mélange d'indulgence et de gravité. Matabei s'effarait quelque peu de ressentir une présence dans cet impeccable morceau de paysage, non pas un enfant caché derrière les haies fleuries et les arbustes, mais une entité organique aux dimensions du jardin, un souffle de vie né de sa merveilleuse complexion. Bouleversé à ces rares moments, il attribuait vite son émotion d'oisif à l'alcool de riz ou aux caprices de sa santé. Comment un jardin aurait-il pu se prévaloir d'une quelconque intentionnalité ?

— Venez vous asseoir un moment, lui lança un jour Osaki Tanako en poussant la porte de sa baraque.

Matabei avait déjà été reçu par le vieil homme, lequel lui servait à l'occasion de l'eau chaude dans une jolie tasse à thé orpheline. De l'édifice, il ne connaissait que la partie centrale. Il n'y avait là pour tout mobilier qu'un matelas roulé et un coffre, un réchaud à côté de l'évier, une table basse à chaufferette. De part et d'autre de solides cloisons de bois se tenaient ses ateliers, l'un pour les boutures et les outils de jardinage, l'autre pour le matériel à dessin, avec une haute armoire de bambou où le vieil homme classait ses éventails montés et ses centaines de lavis en feuille.

Osaki s'était installé devant un service à thé rudimentaire. Un ruban de fumée déroulait son ombre sur le mur illuminé du fond.

— Combien de temps croyez-vous que je vivrai encore ? demanda sans préalable le vieil homme.

Interloqué, Matabei marmonna des mots sans suite. Il n'en savait rien. Cependant, la lumière du soleil sur ce maigre visage drapé d'une peau translucide parut révéler tous les os du crâne et de la face.

— Vous ne faites rien de votre temps, poursuivit Osaki. Vous pourriez m'aider un peu. Je vous apprendrais mes petits trucs...

— Vous aider au jardin ? demanda Matabei, de plus en plus déconcerté.

— Au jardin et à l'atelier, parfois. Quand vous vous sentirez seul...

Deux ou trois soirs par semaine, monsieur Ho s'installait au même coin de table de la salle commune et attendait un identique plateau, avec soupe de nouilles rituelle et poisson en sauce, à la vapeur ou en beignet, préparé par la domestique. Sur une autre table en vis-à-vis, Aé-cha, la pensionnaire coréenne, ne se formalisait plus depuis longtemps de la joyeuse trivialité du personnage ni de sa façon désagréable de manger. Après des semaines d'absence, les amants fugueurs étaient de nouveau tout à leur intrigue, au fond de la salle, à proximité d'un couple d'étrangers au physique trapu, des Tatars de Sakhaline en pérégrination autour de l'île, à ce qu'avait compris monsieur Ho. Les négociants des îles proches parcouraient volontiers le pays ; on raffolait par ici du caviar et des crabes géants de Sakhaline.

Ce soir-là, par exception, dame Hison avait pris en main le destin des fourneaux. Presque aussi vieille que le jardinier, la domestique accusait une profonde fatigue avec le changement de saison. Entre deux services, à bout de forces, elle s'appuyait contre une table ou l'évier.

— On va te trouver quelqu'un pour la cuisine et le ménage, dit sa patronne en vidant l'eau de cuisson du riz, tu n'en peux vraiment plus…

La bonne vieille hochait la tête en s'efforçant de sourire mais ses lèvres rentrées grimaçaient. Elle s'appuyait des deux bras sur un cercueil vide. Rien ne l'attendait ici ou là. La pension autrefois avait été une grande maison muette. Elle et le jardinier s'y étaient trouvés au service d'un veuf sans consolation, riche propriétaire terrien, et de son exquise petite fille qu'il appelait « la plus belle qui soit au monde ». Une domestique, encore en ce temps-là, avait un rôle de parent pauvre autant que d'esclave. Le veuf attendait d'elle et du jardinier un mystérieux devoir de protection. Osaki, déjà vieux, œuvrait à l'équilibre des arbres et des parterres. Quelque chose de très beau et d'inquiétant s'était noué dans ce trou perdu d'Atôra.

— Sers les clients du fond et va te reposer ! ordonna dame Hison. Je termine le service, pour une fois.

L'ancienne courtisane ne détestait pas vider les poissons à mains nues ou plonger une tête de porc dans l'eau bouillante. Éplucher les primeurs la consolait de n'être plus en plein accord avec les saisons : ni le printemps ni même l'été. On lui avait lu sans qu'elle en eût saisi le sens une page de Dôgen sur le détachement serein de l'esprit, jadis, quand l'amour lui laissait le temps d'écouter : « Même s'il entend l'appel du printemps, il ne va pas sauter de joie dans la rosée et s'il contemple les couleurs de l'automne, il ne verse pas de pleurs mélancoliques. » Laver les navets sous l'eau claire l'apaisait presque autant que se promener au jardin, les soirs de pleine lune. Avait-elle jamais sauté de joie dans la rosée, même enfant ? Mais l'image l'émouvait aujourd'hui comme un reflet du passé le plus lointain.

— Voilà, dit-elle, en tendant un petit panier en bambou fumant sur un plat. C'est le poisson de monsieur Ho.

La vieille paysanne trébucha à tout petits pas, façon de se retenir de tomber à chacun. Son plateau sous le menton, elle inhalait la vapeur parfumée au gingembre en considérant les dîneurs éparpillés, sorte d'arbustes tordus sous le demi-jour des lampes. Monsieur Ho interpellait le plus silencieux des pensionnaires aux épaules voûtées par mille ans de lassitude.

— Oui les *mochis*, c'est délicieux, mais faut se méfier, chaque jour des gens meurent étouffés avec les *mochis*. Au nouvel an, après la soupe de nouilles au sarrasin, ma mère me servait des *mochis* gros comme des œufs de poule…

En posant le panier vapeur devant le négociant en thés, la domestique eut l'impression d'éteindre un poste de radio. Elle devina une lueur de soulagement sur le visage de l'autre client.

Profitant de la diversion, Matabei avait replié sa serviette. Il salua l'assemblée d'un mouvement répété à droite et à gauche, avant de gagner le jardin par la porte du fond.

— Quand je n'y serai plus, il restera les éventails.

— Et le jardin, ajouta Matabei.

— Et le vent, oui, dit Osaki. Avant de travailler ici, j'ai longtemps vécu dans un monastère. Les moines m'ont recueilli après le suicide de mes parents. Beaucoup de gens n'ont pas survécu à l'armistice… Comme vous, j'ai connu la dépression. Je buvais. Le deuil est une maladie…

Le souffle de tempête qui frappait les cloisons portait, en bruit de fond, le sourd vacarme de la mer. Malmenée par le vent, la cloche d'un temple ne cessait de sonner. À travers les branches, les nappes d'éclairs dessinaient des ombres grotesques sur l'écran des fenêtres. Matabei tapotait sa paume du bout d'un éventail reçu en présent. Ouvert, celui-ci déployait en quelques traits simples un coin de paysage d'une sublime harmonie, immédiate équation de l'œil à l'esprit ne demandant ni calcul ni réflexion. On pouvait y lire, courte averse sur le coin gauche, ces caractères rapides :

Chant des mille automnes
le monde est une blessure
qu'un seul matin soigne

La charpente de la baraque se mit brusquement à vibrer comme un tambour de cérémonie. La pluie succédait à la pluie et des branches craquaient dehors. Matabei songeait déjà aux réparations du lendemain : le jardin intégrait le désordre à condition d'en gommer les plus brutaux effets.

— Ne vous inquiétez pas, dit-il.

— Pour les feuilles tombées ? C'est leur destin, mon ami. Je regrette de ne pas les avoir toutes peintes. Quelques-unes seulement, d'une année l'autre, quelques feuilles... Voilà si longtemps que je n'ai pas franchi les limites d'Atôra, même pour me soigner. Mais un charme nous retient les uns et les autres. Ah ! ce jardin contient pour moi tous les paysages...

« Tous les éventails » pensa Matabei qui, au plus vif de l'orage, s'étonnait d'avoir oublié si entièrement sa précédente existence. Le peu qu'il possédait encore avait d'ailleurs été liquidé pour en finir avec ce reliquat des remords que sont les dettes. Lui-même s'était exclu avec une telle facilité des centres d'intérêt de ses fréquentations d'alors, qu'il éprouvait une indéfinissable sensation de vide nauséeux et de contracture au niveau du plexus. Hors d'Atôra, il n'existait donc plus pour personne, mais cela ne le chagrinait pas, même s'il avait une pensée pour son père et sa mère dont les traits s'étaient insensiblement effacés comme ces figures de pierre le long des routes, aux carrefours et aux cimetières. Existait-il davantage dans cette province de l'oubli ? Par association d'idées, lui revint en tête le vœu de Jizo, le bodhisattva qui, selon une légende venue de Chine, s'était engagé à libérer les esprits errants et à sauver toutes les âmes souffrantes de l'enfer, à commencer par celle de sa mère, avant d'accepter sa propre délivrance. Matabei admit qu'aucune compassion tangible ne l'habitait, seulement l'inquiétude d'un sort commun. Jeune homme, il aurait voulu s'approprier par une moitié de son être, côté maternel, cette patrie spirituelle des époques Kamakura, Muromachi ou Edo, malgré la honte du siècle qui était le sien. La destruction d'Hiroshima et ce qu'il savait des exactions de l'armée nippone sur le continent avaient pour longtemps éteint toute notion globale en lui, qu'elle fût religieuse ou politique. Une si monstrueuse absurdité ne saurait conduire qu'au retrait, sinon à l'indifférence. C'est ce qu'il s'était longtemps dit sans en tirer de conclusions. Puis il avait vieilli et s'était mis au travail, rêvant de peindre le ciel abstrait des choses. Un accident absurde déchira ce voile d'irréalité dont on s'enveloppe des pieds à la tête comme pour se rendre invisible à soi-même. Avant de fuir Kobe en ruine, il s'était attaché quelques bons amis dans les milieux artistiques, l'atelier dans lequel il avait vécu, face à la mer, recevait la plus belle lumière qu'un peintre puisse espérer, il fréquentait en outre depuis peu une galeriste qui lui promettait une prompte reconnaissance. Mais il y eut l'accident au sortir du tunnel. Tout fut balayé d'un coup de tête à cause d'une passante étourdie. Dans l'état de choc où il s'était trouvé, le séisme qui suivit avait pour lui toute l'apparence d'une réplique tardive.

Le vieil Osaki aujourd'hui l'observait du bout extrême de sa vie, sans doute à peine plus large que la brosse du pinceau. Matabei sourit et, d'un geste nerveux, tapota de nouveau le creux de sa paume. Peindre un éventail, n'était-ce pas ramener sagement l'art à du vent?

Allongée sur le dos, dame Hison pressait fermement des deux mains la nuque de l'homme nu. Elle se laissait aller à une espèce rare de félicité qui est l'oubli de soi, quand passe la douce brûlure le long des cuisses, du ventre et des épaules. Ses seins rayonnaient sous le torse moite collé contre elle. Comme au moins cent millions d'humains à cette seconde, tout se précipite, hanches contre hanches, peaux et souffles mêlés, chute de l'un dans l'autre au milieu des morsures et des glissements. Au plus fort de l'étreinte, l'ancienne courtisane considérait d'un autre monde cette sensation somme toute banale d'union intime et d'absence du fond même de la jouissance. C'était pour elle une évidence qu'on pût ressentir et ne pas ressentir les choses. Depuis une certaine nuit à Kyoto, elle avait appris à se détacher de la douleur ou de la volupté, sans rien pourtant en perdre. Le râle de l'homme vint après son plaisir. Un grand corps sombre aux muscles noués se relâchait contre elle, soudain inerte, comme s'il venait de recevoir une balle dans la nuque. À force de mécomptes, elle avait aussi appris à ne plus se raconter, seule ou de compagnie. Un amant silencieux était pour elle une bénédiction. Celui qui se tait n'attend rien de vous. Les peaux suffisent amplement au dialogue. Quelques baisers, la cigarette qu'on échange, un sourire après l'amour, et la présence du jardin, si proche… Ça la reposait d'une vie de simagrées, de fausses promesses et de disgrâces. Qui pouvait s'imaginer combien elle avait été fêtée ? Sans attaches, traversant les lieux et les époques, son esprit flottait au-dessus de l'homme nu. Les complications burlesques de l'usage du sexe l'avaient effarée toute jeune, au moment des premiers rapports, ce goût de la honte et de la flétrissure, ces prétentions, ces hilarités imbéciles, et puis elle avait compris une fois enceinte l'exception bouffonne de cet acte, et sa monstruosité en accouchant avant terme. Dans les humeurs et la fièvre, chaque coït tentait de ranimer quelque chose de mort-né. Elle frissonna à l'évocation du long cortège des pères et des fils, visages et pénis enchevêtrés. Une saveur acide de rouille et de sang lui restait dans la bouche, elle ne savait trop pourquoi.

Ses seins roulent contre un torse qui s'incline. Une main osseuse glisse sur ses flancs et cherche la lézarde du ventre et des fesses. Une joue rêche griffe sa nuque offerte. Le reflet moiré du demi-jour envahit très lentement les panneaux et les fenêtres. L'œil de l'homme s'est entrouvert sur la nacre d'une oreille. De son autre main, il explore l'éventail irisé de cette chevelure, comme une queue de paon déployée sur le drap.

— Tu es comme l'arbre sans chagrin, murmure-t-il en riant. Comme la fleur hirsute de l'ashoka !

— Et toi comme le pauvre ivrogne qui peignait ses haïkus au bord du chemin. Mais je ne suis pas un chemin et je veux bien te garder encore, vagabond !

— Bientôt je n'aurai plus d'argent, pas même de quoi payer le vin.

— Tu boiras l'eau de la fontaine.

— Je ne plaisante pas, madame la bonne vivante !

— Tu vendras tes peintures aux touristes et aux ingénieurs du site industriel.

— Mais je ne peins plus depuis longtemps !

— On t'a vu sous le châtaigner colorier des éventails.

Matabei éclata franchement de rire. Il tourna la tête vers la clarté du jardin.

— Il y a des choses qui se font tout naturellement, mais qui n'ont pas de sens. L'amour par exemple. Je ne suis qu'un visiteur, un touriste fauché. Et puis j'aide un peu le vieux…

— Osaki refuse de voir un médecin, dit dame Hison. Il ne va pas bien du tout.

Des écharpes de brume flottaient encore sur le lac Duji. La petite barque carrée attachée à un ponton branlant, Matabei l'avait empruntée quelquefois. Il n'emmenait alors avec lui ni canne à pêche ni matériel de dessin, seulement un cahier d'écolier pour noter ses impressions. La barque détachée, il pouvait la laisser dériver longtemps sur le miroir à peine troublé des eaux où la deuxième montagne se reflétait à certaines heures.

Le ciel peu à peu s'éclaircit ; du brouillard ne persistait plus qu'un nimbe entre le soleil et les contours bleutés du lac. Ce jour d'automne était d'une insolite douceur après les pluies de tempête. Une quiétude un peu irréelle émanait du rapprochement fondu des perspectives coulissant comme de fins décors de théâtre. Par contraste, gigantesque, le volcan éteint pivotait avec lenteur et solennité autour de la barque minuscule. Les rives les plus reculées échappaient à son ombre, du côté des plantations de théiers. Sur fond de rochers et de lianes, à l'abri d'un grand cèdre, une pagode à deux niveaux se dédoublait elle aussi dans ces eaux profondes qui, selon l'orientation, viraient du noir anthracite au vif argent. Matabei eut une brusque impression de *déjà vu* ou de déjà rêvé à ce moment. Les deux mille temples de Kyoto n'auraient pu davantage l'émouvoir que cette construction de bois noircie par les siècles. À cent mètres du bord, il releva ses rames. Poussée par un léger courant dû aux cascades pourtant distantes, la barque dériva selon un arc de cercle, donnant ainsi à voir d'autres aspects du paysage : bois d'érables écarlates, falaises de gypse, failles d'anciens séismes, chapiteaux de basalte... Est-ce que les mêmes beautés s'épanouissaient là-haut, en mirage de perfection, comme le parfum des fleurs fanées ? L'étrave vira un peu plus et Matabei finit par découvrir que la pagode n'occupait qu'un îlot rocheux et que les limites du lac s'évasaient à l'arrière, ouvrant celui-ci à des domaines inexplorés. Heureux de la surprise, il empoigna les rames pour incliner doucement sa trajectoire. Le plan d'eau se prolongeait comme un fleuve sans fil ni remous entre deux contreforts boisés dont les silhouettes se resserraient en culminant. La lumière réfractée prit dans cette gorge assombrie de conifères – pins, cyprès et mélèzes couleur de bronze – une éblouissante intensité : entre la nuit partagée des massifs, deux miroirs couchés se renvoyaient, absolue, l'absence d'image. Au secret de ce repli qu'une île dissimulait, rien n'ébréchait le silence – hormis le cri du milan par brèves incursions.

Matabei ne ramait plus ; les mains à plat sur les cuisses, il étudiait avec une distraction entière le juste rapport des volumes au gré de la distribution des ombres et de la lumière. Ramené au premier plan par un effort de pensée, le point de fuite entre les rives était assez décalé pour mettre à mal un équilibre toujours fautif, source d'aliénation. Il n'avait pas oublié la symétrie cachée du Ryōan-ji. Son œil de peintre déclinait mentalement sur divers supports, en noir ou en couleurs, le spectacle qui s'offrait depuis ce bras du lac.

Surgi de nulle part, sans un bruit, un canot glissa à proximité. De dos, un chapeau sur la tête, un homme assis pêchait. Matabei s'aperçut avec un léger retard que l'embarcation ne bougeait pas : c'était lui qui avançait. Le pêcheur se retourna mollement, éveillé par le clapotis.

— Y a-t-il quelqu'un ? s'exclama-t-il.

Matabei aperçut des orbites creuses et blanchies. Il salua d'un mot aimable.

— Ha ! souffla le pêcheur aveugle. C'est si rare de croiser quelqu'un de ce côté.

— J'ai contourné le temple, dit Matabei, en freinant sa barque.

— C'est là que je vis, répondit l'autre. Nous sommes deux moines et cinq chats sur l'îlot.

Ni tourment ni deuil
sur les roses du jardin
dispersez mes cendres

C'est ce qu'on pouvait lire sur le dernier éventail peint d'une seule tige épineuse et dessiné de caractères très fins et tremblés. Le corps d'Osaki Tanako était paisiblement allongé dans la chambre de vie, si bien que dame Hison douta longtemps de son état. Elle interpella le vieux jardinier, l'invectiva d'une voix nouée, secoua son épaule et dut se rendre à l'évidence.

Alors qu'il vaguait entre les bordures avec à l'esprit des projets de départ, Matabei, intrigué par le tumulte, courut jusqu'à la baraque. Il aperçut du même coup d'œil l'éventail ouvert sur la table basse, près du matelas, et le visage d'Osaki, compact et jaune comme un coing. L'idée saugrenue d'une nature morte l'effleura, vite délogée par les sanglots de la propriétaire.

— Il est mort dans la nuit ?

— Ce matin à l'aube. J'ai vu sa lumière s'éteindre

juste avant les premières lueurs du jour.

— Vous avez raison, l'encre est à peine sèche…

Agenouillée, dame Hison avait posé sa main droite contre l'épaule squelettique du vieillard. Elle leva les yeux sur son locataire, intriguée par sa mise plus que par une distance de rigueur et du reste convenue hors de leurs moments d'intimité.

— Vous alliez sortir ? dit-elle, fragilisée par l'émotion. J'ai besoin de vous dans ces circonstances…

Matabei hocha la tête sans la regarder. À peine plus grande qu'une marionnette de théâtre, la dépouille si maigre et desséchée n'eût pas déparé l'austérité du lieu, comme un bibelot d'aucun décor, un objet de méditation d'apparence imputrescible. Une bouffée de chagrin souleva dame Hison. Son visage s'inclina en croissant de lune, plus crayeux qu'un masque nô.

— Pauvre Osaki ! s'exclama-t-elle en courant vers la porte. Sans lui que deviendra le jardin !

Elle revint sur ses pas et baissa le front, les mains nouées.

— Il a toujours été là, depuis le premier jour. Quand j'ai acquis la maison, il y a bien des années, Osaki et la domestique faisaient partie des murs. Le veuf qui vendait avait baissé son prix pour que je les garde, elle et lui. J'aurais préféré du personnel jeune, mais je les ai gardés. Osaki n'a rien changé à ses habitudes. Il travaillait au jardin en artiste, attentif à la métamorphose des saisons. Il n'avait aucune famille. J'ai su qu'il avait assisté enfant au suicide des siens. Sa mère s'est tranché la gorge alors qu'il revenait du lycée. C'était juste après la reddition de l'empereur, mais une femme dépressive se tue sans motif. Osaki a connu les calamités qui ont suivi la guerre, c'est ainsi qu'il a échoué sur ces côtes, à Atôra. Au fond, avec de la persévérance et beaucoup d'humilité, il s'en est pas mal sorti. Cultiver les rosiers et tailler les arbres, voilà un bel exercice de maintien ! Entre l'atelier et le jardin, son bonheur était complet. Il ne demandait rien en échange, pas de salaire, tout juste un peu de nourriture…

Matabei écouta sans réagir les consolations de l'ancienne prostituée. Il s'attendait depuis des jours à cette issue. Osaki avait perdu le peu d'énergie qui le faisait courir encore le long des ruisselets d'eau vive avec ses cisailles, un éventail dans la ceinture. Tout ce qu'il avait appris du vieil homme, sa fin discrète en était l'illustration. Matabei savait maintenant que les vrais maîtres vivent et meurent ignorés et qu'on ne pouvait espérer plus belle équité en ce monde.

Lorsque tomba le soir, dame Hison restée seule humecta les lèvres blanchies d'Osaki avec un peu d'eau de la fontaine et lui souhaita un heureux voyage. Consciente qu'aucune famille n'assisterait son jardinier, elle s'employa à la décoration de l'oreiller, disposant des fleurs sur la table basse, ainsi qu'un brûleur d'encens et une bougie selon l'usage. Matabei avait promis de ramener un moine avant longtemps pour les prières. Aussi veillerait-elle dans cette attente avec, en mémoire rompue, cette proximité faite de gestes entrevus, de saluts discrets dans les allées, de bruissements d'outils et de floraisons. L'esprit du peintre d'éventail n'était plus qu'une flamme transparente flottant sur la cire racornie.

En fin d'après-midi, avertie on ne sait comment, Aé-cha s'était présentée avec un petit sac de satin bleu aussitôt confié à la logeuse. Elle s'était rangée à la gauche du cadavre d'où elle n'avait plus bougé ; c'est avec un air mystérieux de contentement qu'elle avait observé dame Hison extraire son chapelet de cent huit perles et l'enrouler entre les doigts déjà raidis. Encore appesantie de regrets et de désirs, l'âme du défunt était censée rôder autour de la dépouille. Aé-cha la voyait distinctement, opalescente avec une tache ocrée qui oscillait comme un ludion : c'était le cœur, le cœur ne sait pas quel monde choisir. Il y a partout des esprits fourvoyés à cause d'une passion ou d'un quelconque bien terrestre. Pour Aé-cha, notre monde était d'abord peuplé de fantômes. Elle s'entretenait avec certains, défigurés, les chairs de l'âme toutes défaites, et achevait avec d'autres sans apparence manifeste un entretien aux confins de l'effacement. Solitaire, inutile à son espèce, la vieille fille avait tellement à faire du côté des esprits qu'elle ne s'ennuyait guère. Il y avait toujours un disparu qui l'implorait afin d'obtenir une faveur ou une grâce.

La lune était haute quand Matabei revint en compagnie d'un bonze et de son novice, presque un enfant malgré sa bouche pincée de gravité et la ride au milieu du front. L'expédition avait duré des heures ; après s'être confronté aux atermoiements d'un moine shinto du bourg d'Atôra sensible aux rumeurs, Matabei s'était convaincu d'aller quérir l'aveugle sur son îlot. Un culte en valant un autre en pareilles circonstances, autant ramener avec soi l'ermite du lac plutôt qu'un officiant de sanctuaire qui craignait d'être vu dans la maison d'une courtisane.

La randonnée en barque puis en forêt et sur les pentes avait diverti le vieil homme, lequel afficha une souplesse qui eût pu faire douter de son infirmité si une taie ne lui avait tapissé les orbites. En robe de cérémonie, une main sur l'épaule du jeune garçon, l'aveugle traversa le jardin nocturne avec une brusque attention aux mouvements de l'air et aux senteurs. « Quelle beauté, s'était-il exclamé, quel enchantement dans les perspectives ! » Matabei, qui avait cru mal entendre, s'effaça devant la porte de bois noirci de la baraque.

La veillée funèbre eut ainsi lieu selon les rituels, le défunt fut convié au renoncement et au départ. On lui donna une minuscule bourse où quelques yens étaient serrés pour qu'il pût traverser le fleuve de l'autre monde. Des oraisons furent ânonnées et des clochettes tintèrent au-dessus des fumigations d'encens.

Trois jours plus tard, couché dans son vêtement d'éternité, avec contre ses hanches la fleur de lotus cueillie avant l'aube et une corbeille de sûtras peinte sur une tablette par Matabei, le jardinier de dame Hison prit le chemin du crématorium. C'était un sobre bâtiment de briques bâti sur un tertre, coiffé d'un avant-toit cornu à la façon des pagodes, et que deux hautes cheminées flanquaient à l'arrière. Comme aucune famille n'accompagnait le cercueil de carton compacté,

à part dame Hison légalement pourvue aux funérailles, la Coréenne et Matabei, il fut expédié assez
vite de la salle de cérémonie à la chambre tech-
nique.

Le temps de la crémation, Matabei se promena
sur le vaste parking en terrasse où n'étaient garés
que le corbillard et deux autres véhicules. Plus
loin, en contrebas, les stèles serrées du cimetière
d'Atôra avaient un peu l'aspect d'un centre urbain
en miniature. Des nuages ocre irradiés par un
soleil bas se pressaient depuis l'océan, par-dessus
les mornes architectures du port et du site industriel voilés de brume, palans et procession de
pylônes électriques, cubes géants des bâtiments et
tourelles de ferraille. Assis à l'abri d'un auvent sur
une caisse de bois aux effluves de fleurs pourries,
il ne fut pas long à somnoler après ces deux nuits
blanches.

Quand il s'éveilla en sursaut, oppressé par une
profusion de rêves décousus, les carrosseries des
voitures miroitaient. Une pluie fine tombait sur
le gravier. Comme les cheminées ne déroulaient
plus leur ruban bleuâtre, il s'élança, inquiet, vers
le salon d'accueil. Un employé lui fit un signe
de la main alors qu'il cherchait les autres. Après
trois pas dans la salle de crémation, il resta interdit : attablée au fourgon de cendres sorti du four,
sous l'œil éteint de dame Hison, la vieille fille
munie de baguettes procédait à la collecte des

bouts d'ossements calcinés, depuis les pieds jusqu'au crâne. Elle les déposait avec soin dans l'urne en céramique noire à bordure de bois laqué. Devant le sourire diaphane d'Aé-cha qui maniait ses baguettes avec plus d'indolence que si elle eût rangé des dragées ou cueilli des violettes, Matabei songea aux quelques secondes perdues d'une vie. Cette halte sur le chemin d'oubli, que pouvait-elle signifier ? Toute chose disparaît dans sa propre apparence. Un regard plus bref encore de l'autre côté de son pare-brise, c'était pourtant tout ce qu'il avait connu d'Osué.

Les amants de la pension d'Atôra, un couple bien assorti aux manières délicates, étaient en état de fugue permanente. Ils se faisaient appeler Anna et Ken, portaient des vêtements de lin et de satin blanc en toute saison et se cachaient au milieu des gens ordinaires pour s'aimer avec une étrange fougue glacée, presque hypnotique. On les voyait s'entraîner précipitamment l'un l'autre vers leur chambre à l'étage ou le kiosque du jardin. Par précaution, Ken garait sa voiture dans une remise, ancienne grange attachée à la pension, plutôt que sur le parking donnant sur la route où monsieur Ho et dame Hison rangeaient la leur. Ils évitaient de se montrer aux étrangers de passage et ne descendaient jamais au bourg. Leur excentricité semblait un pur artifice, une façon de fausser les pistes ; l'un ou l'autre, pris indépendamment, avait un air d'ingénuité et de simplicité qui contrastait avec l'affectation de leur mise, ces bijoux, ces souliers craquants, ces costumes de lin cintrés et ces robes de cocktail. Peut-être jouaient-ils un rôle de substitution ou, dans l'appréhension de leur sort, brûlaient-ils leurs vaisseaux en clandestins de l'espoir. Matabei se récréait au spectacle renouvelé de ces explosions de bonheur. Tout s'accomplissait pourtant assez discrètement, à la dérobée, mais les jeunes gens laissaient derrière eux un tel sillage de frémissement passionné qu'on ne pouvait manquer de les suivre de l'œil jusqu'à cette limite où ils allaient défaillir, les portes à peine refermées, dans les bras l'un de l'autre. Jamais prévenue de leur arrivée ou de leur départ, dame Hison avait négocié une location à l'année : le couple avait sa clé. Même en pleine nuit, après un mois d'absence, il pouvait trouver refuge.

Outre les randonneurs et les pèlerins, la pension de l'ancienne courtisane accueillait avec complaisance et comme par privilège les transfuges de la vie quotidienne. On y échappait à la loi commune pour l'amour ou par la désespérance ; c'était un havre d'oubli plus que de sérénité, un lieu pour disparaître aux autres ou à soi. Ken et Anna ignoraient tout du passé de la propriétaire et n'avaient guère l'esprit au jardin, mais ils s'étaient réfugiés dans ce recoin perdu d'Atôra avec une science d'abeilles en expédition d'essaimage, par approches graduelles et circonspectes. Une fois l'automobile à l'abri de la remise, le couple s'abandonnait au théâtre de sa solitude, voluptueusement. Plus rien ne comptait que le vertige titubant du désir. On peut s'aimer sans contraintes ;

celles que s'imposaient les deux amants, dans un péril supposé, libéraient toutes les tensions du paroxysme. Râles et gémissements n'étaient pour eux qu'une expectative, la fusion charnelle qu'un pis-aller. Ils se regardaient l'un l'autre des heures en s'interrogeant sur le moyen de pénétrer enfin le secret, l'intime nudité du fond de l'iris comme du reste du corps. Flammèches d'un feu couvert, leurs lèvres, même distantes, semblaient se fondre en baisers au moindre sourire. Au restaurant de la pension, le soir, quand la pensée d'Osué s'estompait, Matabei les contemplait à une distance trouble, rêvant de sa jeunesse et des guerres perdues, toujours dans le demi-deuil du vieux maître : un grisé d'âme sans regret particulier mais tenace comme les longues pluies rêches préparant l'hiver.

L'urne funéraire d'Osaki Tanako avait trôné quarante-neuf jours sur l'armoire de bambou de l'atelier, au milieu d'éventails peints, la plupart en feuilles, d'autres montés sur baguettes, exposés en sa mémoire. Et puis selon ses volontés, les cendres baptisées du nom bouddhique avaient été dispersées à travers les parterres, sur les mousses et les agencements de fleurs automnales, chrysanthèmes et roses puissantes, au pied des arbres, le long des rigoles et sur les rochers, dans un geste pareil à l'offrande de l'encens.

Les années roulent doucement les pierres dans le lit du torrent. Un œil aiguisé peut voir croître les arbres entre la fête des carpes et l'équinoxe d'automne, mais la précipitation des jours est telle qu'on ne porte guère d'attention à l'usure des os ou à l'affaissement du sol. En même temps que son visage s'était élargi, la pâleur de dame Hison s'accentua jusqu'à prendre l'aspect d'une pleine lune. Son caractère altéré par la chimie de l'âge l'inclinait aux caprices, bien qu'elle s'en désolât. Elle gardait toutefois assez de contrôle et de libéralité pour compenser ses sautes d'humeur par mille petites attentions et une forme d'humour placide habituel aux femmes de sa qualité. Personne n'avait à se plaindre d'elle en tout cas, du côté des pensionnaires. La condition de voyageur de passage de Matabei, elle l'avait réglée lors d'une dispute mémorable qu'aucune réplique n'était venue envenimer. Depuis lors, son amant occasionnel logeait dans la baraque d'Osaki, au milieu des pinceaux et des outils. Spontanément, bien avant cette relégation, il s'était employé à tenir le jardin à l'identique, taillant et sarclant, avec l'éventail des saisons en mémoire. Il lui semblait que les cendres répandues du vieux maître le guidaient dans cet effort de fidélité. Le jardin d'Osaki était à ce point exemplaire que la moindre méprise eût mis en émoi tout son peuple d'oiseaux. Bouleverser l'ordonnance d'un massif de buissons et de pierres ou étayer de manière intempestive une ligne d'arbustes équivalait, il le savait, à une meurtrissure, voire une mutilation, au sein d'un enclos pensé comme un organisme vivant, dans l'éclat délectable de sa perfection. Lui, le vagabond égaré, s'était peu à peu réconcilié ce labeur quotidien dans l'inspiration sereine du vieux maître. Arracher les ronces et les prunelliers sauvages, tailler les rosiers, sevrer une branche, c'était là une besogne tout à la fois rêveuse et précise, qui occupait l'esprit autant que, par simple rapprochement, la lecture du *Recueil des dix mille feuilles*. Le travail de la terre et le traitement des arbres devaient s'accomplir selon une exigence mimétique : surtout ne pas défigurer le jardin d'Osaki Tanako. Car il s'agissait bien d'un visage en méditation, d'un fidèle et beau visage tourné vers le ciel et, de tous côtés, éveillé d'un sourire au moindre rayon de soleil, riant du murmure varié des eaux, soupirant et dormant dans les frondaisons.

Pourtant, une inquiétude avait sourdi au fil des saisons : pouvait-on repiquer, transplanter, tuteurer, bouturer, diviser, aérer, buter, attacher, éclaircir, pincer, pailler, et même arroser, sans perdre insensiblement la juste mesure et l'harmonie, ne fût-ce que de l'expression de tel angle facial, d'un détail répété des linéaments, de l'aménité indéfinissable des parties à l'ensemble ? Il avait beau se dire qu'un visage doit avoir le mérite de vieillir en beauté, que l'impermanence touchait toute chose de la nature, la sensation de trahir son vieux maître en cendres s'accusait avec l'automatisme de certains gestes. Chaque coup de cisaille devait être un acte conscient, en rapport avec les mille pousses et rejets, dans l'héritage des lunaisons et la confiance des soleils. Un jardin rassemblait la nature entière, le haut et le bas, ses contrastes et ses lointaines perspectives ; on y corrigeait à des fins exclusives, comme par compensation, les erreurs manifestes des hommes, avec le souci de ne rien tronquer du sentiment natif des plantes et des éléments.

C'est dans cet état d'esprit que Matabei retournait chaque soir à la baraque, las et pensif, mais au fond heureux de sa journée de révérences aux oignons de tulipe et de passes magnétiques autour des arbustes piégés de fils d'araignée.

Dame Hison m'engagea le jour de mes quatorze ans, sur la recommandation d'un de ses anciens clients devenu restaurateur à Katsuaro, la petite ville de ma naissance. Je vivais en ce temps-là avec ma mère, laquelle manquait de moyens depuis l'internement de son deuxième mari. C'est ainsi qu'il me fallut abandonner une scolarité sans éclat. Chez le gargotier, j'épluchais les légumes et lavais la vaisselle dans l'arrière-cuisine où s'alignaient le bac et les chaudrons. Mais j'étais tellement maladroit qu'il décida de me placer ailleurs, par compassion pour ma pauvre mère, sa voisine du dessus qui ne s'était jamais plainte des odeurs de cuisson et des beuglements des buveurs de saké.

Indifférente à mes antécédents, dame Hison m'accueillit avec gentillesse. Elle m'embaucha à l'année comme garçon de chambre et aide-cuisinier, avant même de m'avoir vu manier le balai ou couper un oignon. J'avais peu d'aptitudes, encore moins de compétences, et cassais beaucoup de vaisselle – le gargotier l'avait prévenue – mais j'étais dur à la tâche et ma candeur l'amusait. C'est avec bien des prévenances qu'elle me présenta à la vieille domestique qui gérait la cuisine et le ménage. Celle-ci, toute rompue de rhumatismes, presque sourde et plus taciturne qu'un hibou, se montra à la fois satisfaite de pouvoir commander son homme de peine et inquiète d'être un jour ou l'autre supplantée dans ses fonctions. Mon inexpérience d'une certaine manière la rassurait. Houspiller l'arpette est une consolation de subalterne.

Quand on me présenta un peu plus tard au jardinier, un demi étranger comme moi, bel homme aux cheveux gris avec un collier de barbe plus sombre, celui-ci rit très fort en m'entendant prononcer mon nom. « Hi-han, dis-tu ? C'est dans la langue des ânes français ? Les Anglais diraient plutôt *eeyoore !* À chacun son oreille... » Je ne me suis pas vexé sur le coup, à cause de la mélancolie de son regard. Matabei n'avait rien d'un homme ordinaire, de ceux qui vous jugent et se rengorgent ; il donnait l'impression de se défendre d'une profonde distraction, comme un funambule en plein vertige à qui on demanderait l'heure exacte.

On m'installa dans une soupente aménagée de l'étage, chambrette au plafond bas. Dame Hison m'affecta pour commencer aux tâches les plus simples. J'eus vite l'honneur de faire sa chambre, la plus belle du pavillon, avec des tatamis et des meubles laqués. Il y avait bien cinquante livres alignés sur une étagère, je n'en avais jamais vus autant. Sur une table, je me souviens avoir déchiffré avec peine le titre d'un bel ouvrage à la couverture pourpre : *Sable et galets*.

Le dépoussiérage m'accaparait infiniment en ce temps-là : doué en rien, je m'étais fait un devoir d'être au moins parfait dans un des domaines les plus communs au service d'une maison. La poussière m'était devenue une énigme : comment pouvait-elle ainsi s'accumuler, et dans les endroits les plus protégés ! C'était ma rivale de chaque instant, et même le vol précipité de ces particules dans un rayon de soleil me voyait battre le torchon. J'appris un jour par Matabei que la poussière blanche qui traversait les interstices des tuiles du grenier provenait de l'espace intersidéral. Ma stupeur n'était qu'un désir de comprendre ; j'étais vraiment *bête comme un âne* à l'époque. Davantage même, car l'âne, de France ou d'ailleurs, a l'intelligence qui lui convient. Mais j'avais bien envie qu'on m'instruise.

En cuisine, à part l'épluchage des légumes, j'étais encore ignare. Jalouse de son savoir-faire, la vieille domestique au dos cassé ne voulait rien m'apprendre ; aussi l'observais-je avec soin matin et soir. Pas plus qu'un dictionnaire des mots de saisons ne procure les émotions justes au haïkiste, les livres de recettes ne sauraient donner d'esprit à l'apprenti cuisinier. Mais épier une ancêtre aux mains déformées en train de couper le poisson cru fera de vous un maître du couteau. La pauvre vieille me laissait gratter la racine de bardane, tandis qu'elle cuisinait les nouilles longues ou les algues marinées. Ses gestes me fascinaient par leur minutie grelottante ; attentif, j'apprêtais les ingrédients dans son dos avec une franche gaucherie. L'application était alors ma seule qualité. Dame Hison ne m'en voulait pas trop des pots cassés. Pour ce qui concerne la vie pratique et l'art de présenter les choses, j'appris d'elle davantage que de l'ancêtre titubante. Mais c'est Matabei qui, l'air de rien, écarta mes deux longues oreilles pour que l'esprit s'éveille en moi.

Trêve de la neige ! On oublie les vieux outils dans un état amorti d'ébahissement, reculant l'heure d'empoigner la bêche ou le râteau pour rouvrir les allées. Avec un plumeau, on dégage un duvet de cygne du bord des fenêtres. Les passereaux n'ont pas attendu le jour pour commencer leurs minuscules ravages dans les plates-bandes. Mais le tricotage d'ouate filée n'a pas cessé. L'écheveau des flocons raccommode sans hâte les fraîches empreintes des chats et des corbeaux.

Soudain offert à l'œil comme une seule immense sculpture, le jardin donne enfin à comprendre certains secrets que la diversité colorée des végétaux ordinairement dérobe. Matabei a enfilé son ciré noir ; sur le seuil de la baraque, il étudie les percées phosphorescentes du paysage au-delà des palissades, du côté des deux montagnes puis de la mer invisible. Chaque hiver, c'est la même surprise, comme s'il fallait recommencer à partir de rien la grande fresque du temps. Il neige sur le monde comme sur la mémoire. Là-haut, derrière une vitre, le visage fripé d'Aé-cha s'émerveille. À travers toute cette blancheur, on croirait celui d'une petite fille à peine éveillée. Une vapeur aux lèvres, Matabei jauge d'un coup d'œil la charge de neige sur les branches fragiles des cerisiers. Les saules, eux, ne risquent rien. Le long des ruisselets, des efflorescences de gel se pressent en bouquets. Le silence trouve son fil dans un chuchotis d'eau vive, à peine trois notes par le bec et l'embouchure d'un pipeau de glace. L'une après l'autre, dissonantes, deux pies viennent fracturer un sceau de verre dans le châtaigner.

À l'intérieur, côté atelier, Matabei s'est remis à l'énigme d'un éventail. Peindre n'a guère d'autre signification qu'un prolongement indéfini du regard – aurait-il plus de sens, l'aveugle gesticulant ? L'arc de papier coupé par le vieux maître, il le colore avec ses pinceaux et saisit en quelques traits la formule vide de l'instant :

Fraîcheur de la neige
dans ce brouillard crépitent
les cristaux d'haleine

Alentour, pareils aux portulans entassés dans la chambre aux cartes d'un navire, les éventails d'Osaki n'en finissent pas de livrer leurs secrets. Mais lui s'en soucie peu une fois sa tâche accomplie : il dessine le ciel et les montagnes au-delà de l'enclos, comme autrefois les grands espaces abstraits. Les cendres du jardinier dorment aujourd'hui sous la neige. Combien d'années lui aura-t-il fallu pour découvrir la pure correspondance entre ces feuilles peintes une vie durant et les fastes mesurés du jardin ? Sans réponse, il hausse les épaules et lève son petit paysage d'encre dans la lumière mate tombant des cloisons. Osaki Tanako était assurément un artiste incomparable qui, pour comble d'art, privilégiait l'arrosoir et les râteaux, dans la discrétion de ses éventails.

Maintenant le soir tombait, à peine ralenti par les réverbérations de la neige. Paisible dans sa baraque, malgré la hantise d'un sourire qui vacillait avec l'éclat d'une flamme, Matabei lirait une fois encore les poèmes du vieux sous la lampe. Dame Hison lui rendait moins souvent visite la nuit, surtout par temps de neige. Par obligeance, munie de papiers divers, elle s'était rendue à Kobe en voiture, un matin de l'autre semaine, pour régler les problèmes d'assurance et d'état-civil de son amant. Curieusement, plus elle se montrait serviable, plus une distance s'installait entre eux. En revanche, comme par compensation, la propriétaire des lieux s'impliquait davantage dans la gestion de l'auberge, dispensant à chacun sa bonne humeur.

La neige qui s'abat par vagues sur les versants des montagnes, voltige en aigrettes au-dessus du jardin. Tout le jour, il a dégagé des passages pour les clients de la pension et d'éventuels fournisseurs. Depuis sa rétrogradation volontaire en homme de peine, monsieur Ho ne le salue qu'avec parcimonie, d'un bref mouvement de tête, au même titre que les hôtes d'un soir, pèlerins ou randonneurs. Aé-cha au contraire lui manifeste une attention étrange, comme s'il était en charge d'un office immuable. Elle lui offre des fruits et des confiseries de saison, couleur de fleur de cerisier ou de feuille d'érable cramoisie. Pour la domestique, aucun rang ne prévaut hors de ses fourneaux : ne voyant pas venir le nouveau jardinier à table, c'est Hi-han, le gâte-sauce, qui lui porte le bol de riz ainsi que, par une de ces lubies de vieille cuisinière qu'inspire le hasard des arrivages, une délicieuse soupe aux œufs de crabe des neiges.

Matabei ne suivait plus guère les sentiers de la première montagne ni les routes de la mer. Se rendre ne fût-ce qu'au bazar du bourg lui était devenu une épreuve. Il vivait depuis si longtemps en semi-ermite au fond d'un jardin conçu pour donner le sentiment de la vaste nature. Les premières années, une subite inspiration l'avait poussé, certains matins, à grimper jusqu'au lac Duji, ou à rejoindre par les layons des pentes la très musicale forêt de bambous, havre de fraîcheur et de solitude, ou cette haute terrasse calcaire qu'on atteignait par une échelle de racines et qui offrait d'un même coup d'œil les perspectives du mont Jimura, du grand lac entre les contreforts et, plus bas, des plaines cultivées, rizières miroitantes, champs de blé et autres graminées, et enfin du rivage avec ses récifs et ses plages. Assez souvent alors, il lui arrivait de gagner la mer à pied. L'activité humaine derrière la digue de béton, dans l'espèce de bribe urbaine autour des usines et des docks, lui rappelait un peu Kobe, du temps où, sorti de l'atelier, il ne lâchait son téléphone que pour empoigner le volant de sa voiture.

Afin d'accéder à la grève, il devait contourner murs et grillages électrisés, du côté des palans. S'asseoir sur un parapet et contempler le gué de l'horizon entre deux passages de navires achevait l'expédition. Il rêvait là, les pieds dans l'eau, aux limites de l'univers. Avec ses fosses plus étendues que l'Everest, ses îles désertes aux noms d'oiseau et sa gigantesque fracture de feu déployée en arcs volcaniques, le Pacifique s'était singularisé à jamais pour lui voilà une quinzaine d'années. Face au port, un matin très tôt, par hasard éveillé en plein hiver, il avait éprouvé dans son corps et vu de ses yeux le poisson-chat géant des légendes se contorsionner du fond des ténèbres et la terre bouillonner soudain comme une mer. Mais il ne voulait plus y penser, son cerveau s'y refusait – pas plus qu'aux cris des femmes et des enfants confondus pour les siècles avec ceux des goélands.

Depuis qu'il occupait la baraque d'Osaki au fond du jardin, Matabei avait tourné le dos au monde. Il ignorait le bourg et ses commerces désormais, laissant le factotum de la pension rapporter ce dont il avait besoin. Hi-han sautait sur un vélo à toute occasion pour les courses ou le courrier. Quand dame Hison ou sa vieille domestique le libérait, entre deux services de cuisine et le ménage, le jouvenceau manifestait un dévouement joyeux de Shiba Inu à truffe blanche.

À quinze ans passés, il manquait certes d'instruction et était d'une remarquable gaucherie, mais sa curiosité de jeune macaque l'amusait. En buvant son thé, il le laissait fouiller dans le matériel de dessin, renifler les encres, s'étonner d'une tache en forme de barque ou de cheval sur l'une des feuilles de papier de riz épinglées le long des cloisons.

Hi-han tomba un jour en extase et fut bientôt en larmes devant une estampe montrant une dame de cour en kimono d'été à peine plus âgée que lui, laquelle traversait de sa démarche dansante un joli pont de bois sculpté aux rondeurs de bouddha.

— Pourquoi pleures-tu ? lui demanda Matabei.

— Les femmes sont trop belles, répondit sans ambages l'adolescent.

— Eh bien, prends par la main celle-ci, je te l'abandonne avec plaisir !

Hi-han fou de joie regarda tour à tour le peintre d'éventail et la noble courtisane puis décrocha l'estampe.

— Je peux prendre aussi les épingles ?

Matabei acquiesça en riant. Gravement cette fois, il le salua.

— Si tu le désires, je ferai de toi un garçon cultivé et plein d'adresse pour que tu sois digne de dame Murasaki Shikibu…

— Vous la connaissez donc ? s'écria avec stupeur

le garçon en déroulant des deux mains la gravure.

— Bien sûr ! C'est l'une des trente-six poétesses immortelles. Écoute donc ces deux vers :

Que les princes gardent leur Palais de jade !
Dans la chaumière feuillue, on peut dormir à deux.

Chaque saison est la pensée de celle qui la précède. L'été vérifie les gestes du printemps. Dans le paysage réfléchi du jardin, depuis le jour du Cheval jusqu'aux premières neiges de l'hiver, lorsqu'il ne pleuvait pas, Matabei, l'un ou l'autre des éventails d'Osaki en main, étudiait les dimensions angulaires et la succession des perspectives à partir des différents points de vue auxquels conduisaient les pierres plates, petites ou grandes, disposées en chemins de gué pour circuler d'un pas divers. Toujours en décalage, hors de tout centrage selon le principe d'asymétrie, mais avec des répétitions convenues comme ces dispositions de rochers et d'arbres aux savantes distorsions et ces diagonales en vol d'oies des baliveaux, le spectacle changeant du jardin accompagnait le regard en se jouant des mouvements naturels de l'œil par à-coups et balayages, ce qui l'égarait dans sa quête d'unité par une manière d'enchantement continu ourdi de surprises et de distractions.

Matabei s'appliquait à comparer chaque point de vue avec la série d'éventails qui semblait lui correspondre : tout y était du sentiment et de l'usage des couleurs, des enchaînements de tons, du choix de plantes herbacées, des jeux intégrés d'artifice et de trompe-l'œil. Le vieux maître avait distribué ses lavis en trois groupes, une encyclopédie botanique sur feuilles non montées où la plupart des plantes du jardin étaient peintes en situation, dans les teintes et les tailles idéales, un corpus d'anecdotes saisies d'un seul trait, et une extraordinaire collection d'éventails sur baguettes qui constituait proprement la mémoire du lieu, son plan de création détaillé avec ses petits miracles expressifs d'inachèvement ou de suspens qui, par l'espèce de succession animée des séries, décomposait et totalisait à la fois l'unité vivante de l'ensemble. Reproduire l'effet de nature en raccordant les contrastes du paysage avec simplicité et mystère, tenait autant du jardinage que des sciences exactes. Pas de montagne des Immortels ou de symbolisme animal dans cet art appliqué des éventails. Le maître en cendres avait atteint un seuil de délivrance qui tournait le dos aux représentations traditionnelles du Bouddha et de ses disciples, comme à l'extrême abstraction d'un courtil de monastère. L'exercice de la perspective ne s'arrêtait pas chez lui au principe des trois profondeurs, ses éventails en témoignaient : par ce qu'il appelait l'« harmonieux vertige », il fallait inverser sans cesse l'impression de proche et de lointain à partir du plan intermédiaire, de sorte à désorienter le regard :

Pourquoi tout ranger ?
l'arbre entre l'herbe et l'étoile –
harmonieux vertige

L'art de la dissimulation et de la révélation par étapes au gré de la promenade était poussé à son comble, cela à travers toutes les directions du jardin, lequel semblait bel et bien y gagner les proportions et la complexité d'un labyrinthe. Les lanternes de pierre, le chemin de rosée, tout le réseau joyeux de rigoles au départ d'une cascade, les passerelles d'une ou deux enjambées, les portes claires comme on en voit au seuil des sanctuaires flottants, les formations arborées au deuxième et troisième plans – saules et bouleaux, pruniers, érables parmi les azalées –, juste avant la capture par habiles échappées du paysage naturel – élévations, replis des pâtures et forêts –, entre les haies et les murs limitant le jardin : ce mélange de rusticité et de raffinement atteignait un équilibre surnaturel, sans aplomb eût-on dit, qui associait les vertus des jardins de thé et du jardin sec conçus pour la contemplation immobile.

Du temps du vieux maître, Matabei avait appris de sa voix les usages, et de sa main les techniques, en marchant tout simplement à ses côtés et en l'assistant davantage avec son déclin. Mais il ignorait tout encore des secrets consignés dans les chroniques, quant aux jardins rivières, à l'art de disposer les pierres, aux manières d'incorporer les paysages. Il n'avait certes pas manqué d'observer son tour de main des heures durant, de retour des allées, entre un bouturage et un sarclage, dans son atelier de la baraque. En feuilles ou montés, ses éventails aux trois encres lui paraissaient alors prolonger rêveusement la besogne. Contre un peu d'argent, Osaki Tanako ne cédait au monastère proche que les scènes de genre avec vol d'oies sauvages, forêt d'érables ou barque fantôme au fil de l'eau. Sa collection d'aspects paysagers et autres éléments d'architecture de jardin, Matabei ne la découvrit qu'assez tardivement alors qu'il désespérait de préserver l'œuvre de son maître livrée aux poussées de sève comme aux intempéries. L'éventail reçu en présent du vivant d'Osaki l'avait mis sur la voie : toutes paupières de papier frémissantes, ce dernier représentait un coin de paysage avant la pluie, d'une si pertinente eurythmie qu'il ne restait plus qu'à reprendre au fond de soi la leçon d'équilibre véritable. Un regard sauve l'égaré de toute cette odeur d'eau morte et de moisissure !

Le manuel du parfait jardin de maître Osaki se nichait donc, dessins et poèmes, dans les pliures de ses trois lots d'éventails. Après l'enseignement oral, indispensable, Matabei découvrit ainsi l'enseignement réservé au seul initié posthume. Chaque éventail ouvert était tout à la fois une page du secret et un coup de vent dans les bonheurs du jardin. En même temps, errer de pied ferme entre les ruisselets et les rochers lui donnait à comprendre toute l'adresse du vieux peintre. C'était un double mouvement, une danse permanente entre l'atelier et l'enclos enchanté. *Jouer des éventails* devint le mode d'étude le plus complet. Fors les aléas de l'interprétation, tout ou presque était écrit de l'art des saisons, de l'univers et des mondes miniatures...

Ce matin de printemps, Matabei et le juvénile Hi-han remontaient les trente-trois pierres d'une allée tournante exposée au vent du sud en considérant un cumulonimbus en forme de dragon.

— Il y aura de l'orage, dit le jardinier.

— La matinée est si belle, s'étonna l'adolescent. Tous les cerisiers sont en fleurs. Et ce parfum de sucre !

À cet instant même, de l'étage du pavillon, une fenêtre s'ouvrit et les deux promeneurs, têtes levées, eurent un mouvement d'arrêt. Une très jeune femme d'une fraîcheur au moins égale au jour naissant s'extasiait du spectacle du jardin et, visibles pour elle par-dessus les clôtures, des champs fleuris, des forêts et de la montagne en arrière-plan, épures sous un voile de brume. Cette immobilité pensive soudain, dans l'encadrement illuminé de soleil, concentrait l'intensité orgueilleusement mélancolique des peintures d'illusion chères aux Occidentaux, les Murillo et les Rembrandt, ces singuliers maçons d'images qui convoitaient l'arrêt du temps.

Hi-han avait pâli, une main sur la gorge.

— Une nouvelle cliente ? demanda Matabei afin de le sortir de sa prostration, lui-même troublé par le gracieux visage incliné comme une tulipe blanche entre les larges feuilles d'un corsage vert à brandebourgs.

— Oui, oui ! souffla son disciple d'occasion, confus et souriant. Enfin pas tout à fait : c'est Enjo, une étudiante, dame Hison l'a rencontrée je ne sais où. Elle est arrivée cette nuit en taxi. J'ai même monté ses bagages...

Ils poursuivirent leur déambulation à l'abri des bosquets ; Matabei redressait parfois un églantier ou déplaçait une pierre sur le parcours des rigoles. Devant le bassin où s'ébattaient deux carpes à reflets d'argent en vis-à-vis du kiosque que de grands lys et les thyrses d'une vigne claire masquaient en partie, Hi-han, la face empourprée, se mit à bredouiller.

— C'est déchirant, déchirant !

— Quelque chose t'a blessé ? s'inquiéta l'homme occupé à désunir deux rameaux de pampre.

Apercevant un chaton noir jouant à écarteler le corps caoutchouteux d'un batracien entre griffes et mâchoires, il s'esclaffa.

— Ah ! c'est ce petit démon de cruauté ? Empêche-le donc !

— Ce n'est pas le chat, monsieur. Les filles sont trop belles et je me sens plus tourmenté que ce crapaud. J'aimerais tant atteindre l'émotion pure dont parlent vos livres...

— La beauté t'entoure, Hi-han, c'est normal d'en éprouver parfois un peu durement l'émouvante intimité. Ce chaton ne sait pas qu'il fait souffrir, pas plus que ces lys trop capiteux. Ils méritent moins de blâme que chacun de nous, crois-moi. Il y a sur le lac Duji un pêcheur aveugle qui promène dans l'eau un fil sans hameçon pour faire pénitence...

— Au marché du bourg, quand la marchande les égorge, les raies la regardent faire avec terreur. Elles ouvrent une large bouche, une bouche aux lèvres de femme vraiment, je l'ai vu, et poussent un grand soupir de détresse. À la cuisine, c'est moi qui jette les crabes vivants dans l'eau bouillante...

Matabei laissa le garçon poursuivre ses confidences tout en l'engageant à reprendre leur alerte vagabondage du côté des boqueteaux de feuillus et de résineux. Hi-han ne manqua pas, comme il s'y attendait, de passer en revue quelques pliures du temps parmi les plus douloureuses jusqu'à remonter aux désespoirs de sa petite enfance, à la mort de son père exilé de Taïwan en terre hostile, aux maltraitances d'une mère aigrie, à ses aspirations d'écolier mises en pièces par la nécessité, aux tueries vertigineuses d'insectes pour tromper sa solitude ou à l'énigmatique défaveur d'une voisine aux seins ronds.

À la fin, soulagé, Hi-han se souvint qu'on l'attendait en cuisine. Il considéra avec une nuance d'hostilité les tempes grisonnantes de Matabei.

— Ça ne vous est jamais arrivé, peut-être, d'écraser un renard ou une poule sur la route ?

L'homme se retourna vivement et croisa le regard assombri de l'adolescent.

— Pardonnez-moi ! s'écria ce dernier surpris par l'expression de profond désarroi du jardinier.

Il partit en courant comme un enfant par les allées tigrées de soleil et d'ombre. Au loin, les cloches d'un temple tintèrent longuement. On célébrait sûrement l'âme délivrée d'un défunt. Le vent parut leur répondre en heurtant entre elles les branches sèches d'un arbre à cônes.

Une fois avalés ses beignets de poisson après un bol de nouilles de sarrasin aux algues, monsieur Ho s'étonna de ne plus voir le jeune couple d'amoureux depuis quelque temps.

— C'est pas qu'ils me manquent, gloussa-t-il à voix basse. Ces tourtereaux, on ne les entendait pas plus que vos carpes koï dans le bassin ! Mais c'est comme si vous aviez retiré de l'entrée votre magnifique paire de potiches chinoises !

— Peut-être se sont-ils mariés, répondit dame Hison avec un sourire indulgent.

— On ne voit guère davantage votre nouvelle protégée. Ne mange-t-elle donc jamais, comme la princesse Trois-pouces ?

— Elle préfère dîner en chambre, éluda la propriétaire. Hi-han va vous servir ses châtaignes au sucre, il les fait à merveille…

— Les étrangers sont bons cuisiniers, asséna le représentant en thés d'une voix forte en s'inclinant vers la Coréenne. N'est-ce pas mademoiselle ? Je dirais même que c'est là leur meilleure qualité.

Aé-cha eut cette expression ambiguë d'acquiescement à la bonne humeur ambiante qu'une réticence démentait d'un petit geste des mains, l'une ouverte et l'autre rentrée, le tout assorti d'une grimace aimable.

Il y avait du monde dans la salle, des fonctionnaires du bourg, une famille de commerçants, trois employés du site industriel. Depuis que Hi-han avait succédé à la vieille domestique dans l'empire des marmites, le menu s'était diversifié et enrichi. Si les nouilles au porc et le bouillon entretenaient toujours la morosité des pensionnaires, les clients extérieurs raffolaient de grillades et de crustacés en sauce. Aé-cha ne détestait pas cette affluence des fins de semaine ; elle observait chaque visage avec une discrétion béate, comme lorsqu'on respire des fleurs qui ne vous appartiennent pas. La vue des enfants du couple de commerçants, garçons et fille, suscitait en elle une rêverie mandataire où s'élaboraient les mille soins d'une éducation qu'elle eût voulu édifiante, surtout pour la fille, assez malapprise, qui, entre deux absorptions gloutonnes de nouilles chaudes, balayait d'un regard pétillant d'insolence l'espèce mâle alentour. Malgré sa réserve, l'un des garçonnets avait perçu l'intérêt de la vieille demoiselle et lui lançait des œillades de chat. Avec ses cheveux drus coupés au bol et ses fossettes, il ressemblait de manière troublante à l'une de ses poupées *ichimatsu*. C'est ainsi qu'Aé-cha collectionnait les enfants des autres, par dizaines, avec pour chacun un nom choisi. Un jour suffisait, parfois un regard, pour l'adoption subreptice : une poupée de sa chambre allait en garder mémoire et protéger à jamais l'élu contre les malheurs de la vie. Elle avait des *gosho* tout ronds de porcelaine, de simples *hina* en tissu garni de paille, des poupées à la peau de soie et aux yeux de verre, un bocal à souhaits rempli de *daruma*, figurines creuses et culs-de-jatte, jaunes, rouges et blanches, des poupées manchotes du nord de l'île, d'autres articulées en bois laqué. Dans un herbier de son enfance, grand cahier d'écolière tout en accordéon à force de collages, elle avait conservé une poupée d'herbe que son grand-père, couché sur son lit de mort, lui avait fabriquée de ses doigts de cire pour la consoler d'avoir à disparaître. « Apporte-moi donc une corbeille d'herbes hautes », lui avait-il demandé. C'était après les guerres, dans une autre vie. Elle ne se souvenait vraiment que de sa cueillette à travers une immense prairie noyée de soleil et des mains noueuses du mourant dans l'ombre de la chambre aux stores abaissés. Sa mémoire n'était pas plus étoffée qu'un de ces jeux des fleurs en quarante-huit lames énonçant les saisons mortes, mais il lui restait l'herbier et les poupées.

— Les Coréens ne sont pas vraiment des personnes de l'extérieur, dit monsieur Ho, la bouche débordant de pâte de haricots rouges. Mais ce ne sont pas vraiment non plus des Japonais…

Un léger crépitement venu du jardin s'amplifia en se répercutant sur l'auvent du toit et contre les fenêtres avant de s'étendre comme une bourrasque marine. Plusieurs têtes se tournèrent machinalement vers l'ombre battue par l'averse de grésil. Hi-han, qui s'apprêtait à servir une assiette de fraises confites à la table d'un ingénieur de l'usine, s'immobilisa un instant, saisi de frayeur pour le sort des anémones blanches et des grands lys serrés devant le perron. L'image d'un bonhomme de neige lapidé dans la nuit le traversa absurdement. Il sourit au client et s'aperçut alors, juste au moment de poser l'assiette décorée à la main, de son fin liseré de lespédèzes. Il y avait même une goutte de rosée peinte sur ce ruban de fleurs. Depuis combien d'années Matabei lui enseignait-il l'accord des contraires ? Assembler des saveurs et les décrire, tailler un arbre et le dessiner, tout s'harmonisait en vérité ; mais une blessure en lui et hors de lui décourageait sa confiance.

Il y eut soudain un éclair d'une telle intensité que les lampes pâlirent dans leurs caissons de papier huilé ; elles s'éteignirent après quelques clignements et les enfants s'écrièrent, soulevés d'une gaieté inquiète. Le tonnerre gronda dans un long roulement d'avalanche. Déjà, on allumait les mèches. La vieille domestique courbée à angle droit posa l'une de ces lanternes sous le visage blafard de la Coréenne.

— Les esprits ! murmura celle-ci sans qu'on l'entende. Tous les esprits contrariés ! C'est un grand malheur…

Longtemps cloîtrée dans sa chambre, Enjo s'était peu à peu abandonnée au charme du jardin. Elle avait pris l'habitude d'occuper des heures entières le kiosque à thé aux cloisons éclairées de vitrages, à proximité du bassin et des cascades distribuant l'eau des ruisselets. Entre deux accaparements fascinés devant quelque écureuil en quête de nourriture ou l'éclat métallique d'un envol de pigeons, elle lisait et relisait toutes sortes de contes trouvés dans la bibliothèque de la pension. L'histoire de l'ogre solitaire qu'une déesse épouse afin qu'il puisse aimer autrement les enfants, l'histoire du moine chargé d'un trésor qu'un guerrier aux deux sabres pousse à l'eau lors d'un périple et qui, devenu riche à Kyoto, tente nuit après nuit de pourfendre le spectre du noyé. L'histoire du pauvre pêcheur qui sauve sans le savoir la fille de l'Océan sous l'aspect d'une tortue suppliciée par des enfants et qui recevra d'elle, au fond des mers où le temps s'arrête, un coffret de joyaux rempli des cendres de son âge réel. L'histoire du couple aux trois arbres nains, sa seule richesse qu'il protège au point de chasser un mendiant en quête d'hospitalité par temps de glace et de neige, mais qu'un remord lui fera finalement recueillir et qui, afin de réchauffer le misérable, brûlera l'un après l'autre ses arbres précieux dont la fumée ouvre à la délivrance. L'histoire du veuf qui reçoit de son malheureux voisin la propriété d'un magnifique saule pleureur argenté, lequel se dédouble en une splendide jeune femme dont il aura un enfant appelé Yanagi, jusqu'à ce qu'on vienne couper le saule pour réparer un temple, son épouse mourante lui avouant alors être l'âme de cet arbre ; vingt ni trois cents bûcherons ne parviendront à en soulever le tronc, seul le petit Yanagi le saisira délicatement par une branche et le redressera dans un grand murmure de feuilles pareil à l'âme de sa mère.

Dans le jardin, de temps à autre, Enjo voyait passer l'homme aux tempes grises, une bêche sur l'épaule ou un éventail à la main. Elle ne lui avait encore jamais adressé la parole et celui-ci semblait l'éviter, arborant un sourire contrit lorsque leurs itinéraires malgré tout se croisaient. Son livre tombé sur les genoux, délaissant les dragons et les princes, c'est d'une attention soutenue qu'elle l'observait alors qu'il taillait un arbuste avec une application d'orfèvre ou agençait des pierres comme s'il s'agissait d'ossements d'un dinosaurien. Il y avait dans ses gestes toute l'étrangeté de la constance. L'air égaré, Enjo reprenait sa lecture dès qu'il échappait à son champ visuel ; elle déchiffrait les caractères sans s'y arrêter, laissant s'évanouir en elle les histoires comme de grands nuages derrière l'horizon. Le bruit des cascades aux confins du bassin, les chants d'oiseaux, merles, fauvettes, bulbuls-orphée à crête noire ou masque rouge sous les branchages, et plus haut, parmi les nébulosités, les miaulements du milan noir et de l'albatros, occupaient son esprit démesurément : il fallait qu'elle s'assourdisse dans la lecture, que le silence des mots devînt assez intense pour la distraire de sa distraction. Dehors, l'homme repassait sans la voir. Il tenait une sorte de sabre dans les mains, sûrement une serpe ou un fauchard. Enjo posa son index sur une phrase moins lue que regardée : *La courtisane au cou poudré appartient au monde des saules et des fleurs.*

Matabei s'apprêtait à couper les surgeons d'un frêne rouge derrière la cascade, quand il la vit dans le kiosque ouvert, un sein nu par-dessus la bretelle d'une tunique indienne. Elle ne bougeait pas, un livre à ses pieds, son regard de statue versatile tourné vers lui. Sans raison, avec une violence renouvelée, se déroula en lui l'épisode du tunnel, à Kobe, de cette seconde de sang et d'acier gravée en travers de sa cervelle. Dans un jardin, parfois, le cours du temps s'enraye ; mais il ne rêvait pas. Les mêmes yeux le fixaient du fond du temps.

Un tremblement le saisit quand, baissant le front, il remarqua sur ses doigts la rouille de la lame. Il lâcha l'outil qui alla heurter en sonnant une pierre roussie, entre les fleurs de corète et les touffes de miscanthes.

La surface mobile du bassin se détressait en filets argentés après la cascade. Longtemps, sachant que la jeune fille aux épaules découvertes avait toujours le regard porté sur ses mains, il s'abandonna à la fascination des eaux vives où passait une infinité de figures rapides, comme ces foules mêlées aux reflets d'un ciel changeant, à Kyoto, dans les parcs des sanctuaires, à l'heure automnale de la chasse aux feuilles rouges.

Depuis la fin de l'été, un même rêve tourmentait les nuits de dame Hison. Elle était la femme Trois-pouces, nabote au milieu d'hommes chats tout engrossés d'une vie de bombance qui la manipulaient comme une marionnette. C'est en tirant sur ses longs cheveux qu'ils activaient sa tête et ses membres. Leurs pattes nombreuses empestaient la sauce de soja et le poisson ; certains avaient des ongles encrassés qui manquaient l'éborgner. Puis une main plus fine et très blanche s'emparait d'elle et l'emportait loin de cette compagnie, dans la nuit noire, jusqu'aux rives d'un étang plus ténébreux encore, où sa ravisseuse la précipitait avec ce mot d'adieu aux lèvres : « Putain. » Mais elle ne coulait pas, elle flottait parmi ses grands cheveux mêlés de petite fille. Elle dérivait sur l'eau noire, ses beaux habits en guirlande autour d'elle, comme des grues de papier tombées d'un arbre à vœux. Un silence monstrueux s'étendait alors sur elle et sur le monde...

Dame Hison s'éveilla une nouvelle fois en sueur, le front et la nuque glacés, avec une impression pénible de dépossession. À cette heure nocturne, le jardin exhalait les parfums les plus délectables, chrysanthèmes, seringats, sauges diverses, camélias, orchidées, miel des buddleias, roses encore, avec en embuscade cette senteur mémorable, un peu astringente, de terre retournée, d'écorce et de feuilles mortes. Par la baie entrouverte de sa chambre, elle vit une lune très pâle, garante de pluie, glisser sur les hautes brumes. Une chouette ululait au-dessus de la maison ; son aile parfois voilait d'un trait la lune. Elle se dit qu'aucun homme n'aurait connu son prénom, qu'à personne elle ne se serait présentée autrement que *dame Hison*. Seule Enjo, la demoiselle qui dormait à l'autre bout du couloir, l'appelait Etsuko, parfois, dans l'intimité. Quel tour prendrait sa folie maintenant, combien de temps tournerait-elle dans ce jardin sacré ?

À proximité de Kobe où elle s'était rendue quelques mois plus tôt pour régler les affaires de son nouveau jardinier, elle l'avait déplantée du bord d'une route, comme un jeune saule, pour la déposer un peu au hasard dans la ville, en lui recommandant sans conviction de venir passer quelques jours, à l'occasion, du côté d'Atôra. Et Enjo était venue un beau jour, à sa grande surprise. Elle avait débarqué à la pension en donnant tout de suite l'impression d'être chez elle, c'est-à-dire nulle part, pour le coup déracinée, tour à tour errante ou cloîtrée, ne sachant que lire et rêvasser. Si fruste et ballot à ses débuts, aujourd'hui aussi instruit qu'un bonze, Hi-han tournait autour de la fille au minois de porcelaine, l'air déboussolé ; il lui semblait que Matabei n'était pas indifférent non plus à sa grâce un peu somnambule… Mais dame Hison n'était nullement jalouse de l'alouette s'égosillant, aphone, à la pointe vide du ciel. C'est elle, après tout, qui s'était arrêtée au bord d'une route et l'avait invitée sans même la connaître, séduite par son air d'absence.

Quant à son homme de circonstance, un mal inconnu semblait l'avoir affecté en profondeur ; il s'était plus ou moins rétabli, mais sans vraiment surmonter son déclin. Peut-être était-ce tout simplement les coups de boutoir de l'âge. Souvent, la nuit, des fenêtres du pavillon, on voyait luire la lampe de la baraque à travers les branches du châtaigner : c'est Matabei qui devait contempler jusqu'à l'aube les mille éventails de son hôte par défaut, le vieux jardinier en cendres dont même les roses ne devaient plus se souvenir. En permanence éreintée, la domestique de son côté s'était installée dans le cocon protecteur de la décrépitude, en créature à demi fossile aux gestes remontés chaque matin comme un mécanisme d'horloge. Anna et Ken, les amants fugitifs, étaient revenus un soir de la semaine, lui boitillant au bras de sa compagne, un bandeau sur l'œil gauche sous des lunettes fumées plus larges qu'un loup de mascarade, elle effrayée de tout, épiant les ombres et les visages. Dame Hison sourit de la diversité des songes humains, les siens comme ceux de ses clients d'une vie ou d'une nuit.

La fenêtre coulissante se mit à cliqueter. Une bourrasque dans les arbres provoqua la chute de faînes et de châtaignes du côté de la terrasse et sur le toit d'une remise. Un grondement accru monta alors de la mer.

Nuit de tempête —
la branche contre un volet
parle des esprits

Dame Hison rajusta son kimono sur l'épaule. Elle aussi avait vieilli malgré ses déguisements et ses fards. Son rêve lui revint brusquement à l'esprit, tous ces doigts épais sur elle, poupée d'aucune fête, ces ongles sales plantés dans sa peau, puis cette main de femme ou d'enfant qui l'avait jetée aux carpes d'un étang – et pour finir, ce silence envahissant. Quand la tempête gronde et que la solitude reste entière, comment les cueillir, les fleurs du silence ?

Fort des leçons de son maître et de ses nombreuses lectures, Hi-han venait de passer avec succès un test de compétence en histoire de l'art à l'université de Fukudai. Sans doute aurait-il pu solliciter une bourse et tenter un examen d'entrée de premier cycle, dans la préfecture ou même à Tokyo, mais il préférait infiniment garder son poste aux fourneaux et suivre les pas de la trop belle Enjo le long des rigoles musicales du jardin.

C'est avec une attention d'enfant, aiguë mais distraite d'un rien, qu'il écoutait pour l'heure les considérations de Matabei sur les affinités entre la peinture d'un simple éventail et la composition d'un coin de paysage.

— On peut exprimer sa pensée avec des couleurs, des mots, mais aussi avec ce que tu vois : les plantes, l'eau et les pierres. Là, il faut compter avec l'adversité, le vent et la pluie, les saisons. Le jardin vit de ta vie, c'est la différence…

En disant ces mots, Matabei entrevit la silhouette d'Enjo sur un chemin. Les cheveux dénoués, les hanches serrées dans une jupe longue, dansant presque au milieu des feuillages ocre et pourpres.

— Jardiner, c'est renaître avec chaque fleur…

Aux aguets, Hi-han aperçut lui aussi la protégée de dame Hison. Pour ne pas froisser son maître, il mima l'intérêt, songeant qu'un vieux planteur d'oignons ne fera jamais un jeune homme. Il eut presque pitié de ce gaillard enjoué, généreux certes, tant admiré pendant toutes ces années et auquel il devait de savoir lire et peindre en vrai lettré. Mais la vie semblait lui échapper par toutes les veines. Les joues creusées par le travail et l'étude, Matabei n'avait même plus la chance de l'espoir. À quoi pouvait bien servir la connaissance en bout de vie ? Avec ses dix-huit ans bientôt, assez joli garçon, fin cuistot, habile en *sumi-e* comme en poésie traditionnelle, Hi-han ne se sentait, au fond, qu'une seule supériorité sur celui qui l'avait initié : la jeunesse justement, cette éternité promise qui l'autorisait à rêver d'un avenir, fût-ce loin des livres et des jardins de méditation. Avec Enjo, il irait volontiers au bout du monde, plutôt que d'user ses genoux dans la terre des roses. Enjo serait son jardin à titre exclusif, et il ne cueillerait jamais ailleurs d'autres fruits ou d'autres fleurs. Une jeune fille cache plus de promesses et d'énigmes que la nature entière.

— Créer des paysages, poursuivit Matabei, c'est assimiler la loi d'asymétrie et le juste équilibre comme un art de vivre. Les chemins de rosée, les sentiers sous les arbres et les passes de gué avec tous ces riens échelonnés, cette pierre, l'eau vive d'une rigole, cette branche basse, voilà le parcours intérieur. Mais il faut laisser les choses vivre un peu de guingois autour de toi. L'imperfection ouvre à la perfection. Tu achèveras en esprit l'inachevé. Le jardin idéal n'est qu'un rêve. Oui, rien d'autre qu'un rêve qui invite l'infini par clins d'œil. C'est l'unique harmonie…

— L'harmonie cachée, dit en écho le jeune homme pour paraître attentif.

— Bah ! s'exclama Matabei dans un rire. Un jour, je t'apprendrai l'art de dépayser une pierre de belle venue et de lui restituer son âme au sein du jardin. Nous ne faisons en somme que transposer l'esprit de la nature dans un cadre réduit…

— Alors pourquoi ne pas laisser la nature venir toute seule à nos portes ?

— Sans doute parce qu'il faut travailler sur soi longtemps avant de s'affranchir, comme l'ermite des montagnes. Les trois pinceaux de bambou, par exemple, nous en ferons usage des années encore en espérant savoir peindre un jour les jeux du vent dans la forêt de bambous…

Hi-han n'écoutait plus, accaparé par l'évanouissement d'Enjo de son champ visuel. Ce que lui racontait le vieux n'était pas bien nouveau. Avant l'arrivée d'Enjo à la pension, en balade sur les pentes de la première montagne, tous deux s'étaient arrêtés un jour devant le ginkgo, avec sa tournure de main puissante sortant de terre comme pour s'emparer du soleil, dans la forêt de chênes bleus, et Matabei avait disserté une fois de plus sur l'idée de délivrance. « La nature n'a besoin de personne, avait-il déclaré, le temps est son jardinier et elle laisse chacun libre. Par malheur, s'était-il empressé d'ajouter, elle souffre de la prolifération d'une absurde souche d'automates programmés pour la détruire. » Il lui avait alors désigné d'un air entendu « le palais impérial de l'ermite », une espèce de cabane lacustre à l'abandon qui émergeait à peine d'un flot de fougères.

— Un jour, je te guiderai jusqu'à la forêt de bambous...

Hi-han sursauta à ces mots. Prétextant la reprise imminente de son service aux fourneaux, il laissa là Matabei et courut du côté du bassin aux trois cascades. Il avait souvent aperçu la jeune fille lisant dans le kiosque ; mais elle n'était visible ni à l'intérieur ni dans ses environs et, désolé, il s'apprêtait déjà à gagner le pavillon, quand un bruit de nage attira son regard. Ses vêtements jetés sur une pierre, Enjo fendait des deux bras les eaux à la fois ombreuses et limpides du bassin. Les courbes de son corps, d'une blancheur de lune, presque luminescentes, se dessinaient, à peine déformées par le remous, dans toute leur splendeur gracile. La baigneuse oscillait sur elle-même à chaque brassée, laissant voir ses épaules et sa cambrure huilée, puis le buste et le ventre, des seins oblongs aux cuisses touchées à l'aine d'un signe noir. Hi-han aurait pu s'évanouir d'émotion si la scène ne l'avait pétrifié. Une carpe venait de se muer en femme sous ses yeux et elle allait l'entraîner au fond du plan d'eau s'il négligeait de lui faire la cour. Mais avec quels mots aborder une carpe muette ? Désemparé, Hi-han se précipita sur les vêtements et enfouit son visage dans la jupe et les dessous. Jaillie sur la rive et toute ruisselante, les deux bras appuyés sur un rocher, Enjo partit d'un rire un peu fou. Ses seins avaient un bercement de lys au vent et ses cheveux retombaient comme les lianes du saule sur ses hanches. Honteux, Hi-han reposa tout ce linge et s'enfuit, une brûlure au ventre.

Les cloches d'un temple résonnaient du côté du crématorium. Le cri du milan déchira l'air dans un piaillement apeuré de passereaux. En même temps, le manteau des nuages se resserra sur une trouée d'azur par où se déployait l'éventail du soleil. Au-dessus du rapace, planant très haut, des goélands couleur de neige défilaient à la limite brumeuse du jour.

Plusieurs semaines avaient passé, orageuses, chargées d'éclairs et de menus drames. Un peu sonné par les événements, Matabei veillait des nuits entières dans l'atelier pour relire les haïkus du peintre jardinier en regard de ses lavis déployés par séries. Les éventails peints et montés d'Osaki proposaient chacun tel ou tel point de vue forcément incomplet du jardin, tel détail de composition ou aperçu d'ensemble au gré des saisons. La révélation qu'eut Matabei, un matin radieux de fin d'automne où les arbres en partie dépouillés semblaient faire connaissance, c'est qu'il devait s'agir pour le vieux sage d'une création simultanée et indissociable. Les lavis et l'arrangement paysager allaient de pair, comme l'esprit et l'esprit, les uns préservant les secrets de l'autre, en double moitié d'un rêve d'excellence dont il aurait été le concepteur obnubilé.

En promenade après une nouvelle nuit à passer en revue les mille éventails, Matabei s'exaltait naïvement de sa découverte : tout était chiffré, le chemin de rosée, les ruisselets, les détours, les rochers, chaque couleur particulière des mousses et des galets, les contrastes, les arbres, et jusqu'à la forme tortueuse des branches d'un frêne pleureur ou d'un sycomore. Par la magie des éventails, le jardin d'Osaki était donc immortel, chef-d'œuvre animé qu'une grande brassée d'images retenait secrètement de la désagrégation. Venu en ces parages à cause d'un regard sans pardon, Matabei continuerait indéfiniment d'errer entre ces haies et ces murs, à l'exclusion d'autres motifs. Les nuages duveteux s'agitaient au-dessus des branches, pareils au feuillage de bambous. Dans l'indécision, il déambulait avec l'ambition malaisée d'annihiler toute émotion en lui, ce flux d'images, ces rêves idiots. Le moment opportun, la circonstance favorable, résidait, il voulait le croire, dans cet instant vide. Le jardin en lui-même contemplé – voilà bien le seul lieu, pur et tranquille, à distance des illusions et des choses ordinaires.

Pourtant, Matabei n'était pas guéri d'Enjo, de sa folie, des saveurs de son corps, toujours sous le coup de la scène grotesque du kiosque, quand Hi-han les surprenant nus, l'un dans l'autre, avait poussé une sorte de hennissement de douleur. Le jeune homme avait donné son congé à dame Hison les jours qui suivirent. C'est elle-même qui était venue l'en avertir. « Que s'est-il passé ? lui avait-elle demandé. Le pauvre garçon sanglotait. Est-ce à cause d'Enjo ? À cause d'une dispute ? » Matabei avait haussé les épaules. Hi-han était parti sans un adieu, effaçant entre eux toutes ces années de confiance et d'enseignement. Il avait encaissé ses arriérés, bouclé sa valise et s'était offert un taxi, le premier de sa vie, pour la gare la plus proche. Avec pour destination l'université de Tokyo où il ambitionnait de s'inscrire à l'examen d'entrée au Département des lettres de Hongô. « C'est ce qu'il pouvait faire de mieux ! » avait-il vivement répliqué d'une voix désinvolte. Dame Hison n'était pas dupe de cet éclat ni des motifs de son cuisinier. Alors qu'elle quittait le seuil de l'atelier après des mots définitifs, l'attention de Matabei s'était portée sur les bogues éclatées jonchant le sol et le cuir luisant des châtaignes. De chair ou de cendre, un mystère buté l'entourait, au présent comme au passé. Ne sachant d'où il venait, qu'était-il d'autre qu'un enfant lui-même ?

Non, il n'était pas guéri d'Enjo. Le dur édifice de sa sagesse s'écroulait comme ces monuments de brouillard au vent d'automne. Les événements avaient pris le dessus sur toute cette paix accumulée. Ce qui n'a pas de forme, comment le voir ? Était-il maître du vent ? Matabei n'avait plus de disciple ; sa lampe allait s'éteindre avant la nuit. Pourtant dame Hison ne voulait plus de lui, elle lui accordait certes tout le temps nécessaire pour quitter les lieux à son tour, mais la rupture semblait irrévocable. Un violent sentiment de perte lui brûlait la poitrine, ajoutant au mal sournois qu'il ne savait plus conjurer. Qui allait s'occuper du jardin d'Osaki, qui sauverait de la dispersion l'indivisible secret des éventails ? À côté de ces trésors, sa vie n'avait pas plus d'importance qu'une chute de feuilles d'érable dans la lumière du soir.

Il songea alors au ventre d'Enjo, à sa peau, au mica de ses prunelles quand elle le fixait à travers son sourire perdu. Existait-elle seulement ? Il la chérissait dans sa ruine. Il s'abandonnait au désir d'elle comme à une immolation douceâtre. Une lame tranchait en lui des centres vitaux à chaque rencontre, au moindre effleurement. Il perdait sa vie en elle, dans son corps étroit. Quand elle lui échappait, il rêvait d'elle avec une intensité accrue qui décuplait son ravissement. Que devenir *après*, loin du jardin ? Il se souvint de l'estampe offerte des années plus tôt au malheureux Hi-han tombé en extase : cette jeune dame de cour en kimono traversant un pont de bois – à peine déguisé, c'était tout le portrait d'Enjo.

Matabei prit au hasard un éventail en feuille sur une des piles, celle des anecdotes éternelles. On y voyait l'essor d'une théorie de grues

cendrées avec cette inscription en guise de
légende :

Prendre son envol —
à l'heure des migrations
peindre une plume

La saison froide reculait sans que rien changeât vraiment dans ce coin oublié des basses terres d'Atôra où le grondement du Pacifique porté par le vent d'est dominait parfois les criailleries des pies et des corneilles. Consciente du labeur désintéressé accompli par son jardinier, et sans autre recours, dame Hison n'était plus revenue sur leur altercation au sujet d'Enjo. Sa jalousie de maîtresse femme, elle l'avait subie comme une tumeur avant de s'en défaire d'un coup de scalpel : en tranchant ce reliquat d'amour que le dépit embrase. Une fois la paille et la grange brûlées, l'ancienne courtisane se sentit allégée de tout le feu du ciel : la pluie pouvait noyer ces cendres. Mal en point, sans ressources, Matabei avait cédé l'ombre bienfaisante pour une chimère. Dame Hison lui conservait toutefois assez d'estime pour lui laisser le temps de prendre la mesure de sa folie.

Une neige abondante s'était abattue sans discontinuer sur la région entre la fête dite de l'homme nu et la fête des poupées. Le jardin disparut sous un mol éblouissement, libérant peu à peu l'esprit de Matabei. C'était pour lui une sensation curieuse, comme de perdre son image dans les miroirs. Dans sa solitude, il faisait de son mieux pour endurer ses maux et prendre patience derrière les fenêtres étoilées de fleurs de givre. Ce qui lui manquait le plus, c'était le thé bouillant préparé par Hi-han, le soir, après son service. Le jeune homme alors venait s'accroupir dans un coin de l'atelier et tous deux conversaient ainsi, buvant à petits traits, au milieu des estampes, des piles d'éventails et autres lavis suspendus à des fils.

Quand il n'y tenait plus, oubliant sa déchéance, c'est en titubant que Matabei quittait la baraque après s'être lavé tout le corps au gant de crin. Demoiselle des neiges ou ardente démone, elle ne pouvait être loin, elle l'observait sûrement par l'interstice d'une cloison. Le désir a une saveur fade et sirupeuse comme le sang mais sa blessure demeure béante. Le bouquet de sept fleurs avec toute leur verdure qu'il déposait pour elle dans le kiosque, elle n'y touchait jamais, mais il l'avait vue une fois s'incliner comme devant un autel, les mains écartées, aussi le renouvelait-il dès qu'un pétale tombait pour garder au moins ce lien entre eux. À portée de main, Enjo se dérobait sans cesse depuis le départ de Hi-han. Elle jouait avec lui au chat et à la souris – ou plutôt au fantôme : elle lui offrait à boire, semblait lui accorder ses faveurs puis se dissipait en fumée ou disparaissait comme une couleuvre d'eau entre les pierres du jardin. Matabei savait qu'il devait une bonne part de son tourment aux macérations de ses humeurs. Consulter un médecin était au-dessus de ses forces. Il eût pu tenir des années ainsi, cahin-caha, sans trop avoir à se plaindre de l'intrusion indolente de la mort. Et puis être malade, c'est être plus vivant que jamais, surtout aux points douloureux. Il ne voulait pas d'autre médecine que certaines plantes à chat et à renard.

Sa princesse de la lune, née d'une tige de saule, il la retrouva dans le kiosque par une nuit d'embellie. Les modulations d'une voix limpide l'avaient attiré alors qu'il trompait son insomnie sur le gravier de l'allée aux cyprès. Il connaissait bien cette complainte, toutes les jeunes filles sages aimaient à la chanter :

Comment aurais-je su que le printemps revient
Si personne n'était venu me l'annoncer

Quand elle vit l'ombre surgir, Enjo ne cessa pas de fredonner, cette fois sur un registre facétieux. Sous l'éclat conjugué d'une lampe de pierre et de la pleine lune, son regard de petit animal remuait latéralement comme la guêpe devant son nid. Le ciel s'était obscurci d'un coup ; il se mit à pleuvoir, le toit retentit sous de grosses gouttes éparses. Sans modifier son jeu de prunelles, la jeune fille, rieuse, partit d'un air de circonstance :

Nuit de pluie, nuit de pluie, j'aime, j'aime !
Ma mère, ma mère, oh ! n'oublie pas mon ombrelle
Puitch puitch, tchop tchop, run run run !

Matabei la prit dans ses bras, mais elle se ploya, la tête renversée pour continuer de chanter. Il voyait luire ses dents pointues et l'opale de ses yeux à travers un sourire de noyée.

Mon sac est si lourd, oh ! c'est toi ma mère ;
Entends-tu les clochettes à prières ?
Puitch puitch, tchop tchop, run run run !

Oh oh, je pleure, je coule tout au fond de la terre ;
Ma petite maman me prêtera son ombrelle
Puitch puitch, tchop tchop, run run run !

En l'écoutant, plus désemparé que jamais, Matabei comprit qu'un seuil était cette fois dépassé, une situation sans réponse, excessive comme l'agonie d'un banc d'orques ou de dauphins échoués sur une plage. Un effroi primitif s'était infiltré en lui avec cette voix grêle dans la nuit. L'averse tambourinait sur les vitres et le toit. Sans rien comprendre à ce qui se tramait, il souleva Enjo contre une console de fer, baisa son cou et ses bras et, comme elle s'abandonnait en silence, s'acharna longtemps au plus intime de sa chaleur, les yeux clos, pris d'un sentiment panique de perdition et d'effondrement.

— Ne me quitte jamais, jamais! râla-t-il enfin, le buste affaissé sur sa poitrine nue.

— Jamais… parut répondre Enjo par simple réverbération.

À force d'immobilité muette, longtemps après la dernière goutte de pluie, le jardin nocturne reprit autour d'eux toute sa magique présence et les amants soupirèrent, chacun dans ses pensées, tandis que le feuillage naissant des saules et des ormes frissonnait doucement sous la clarté revenue de la pleine lune.

Ce matin lumineux de mars, Matabei s'était décidé à sortir comme autrefois du côté des hauteurs, à gravir les pentes de la première montagne pour revoir le lac Duji et saluer les grands arbres bourgeonnants, le monumental ginkgo que les pèlerins aimaient visiter aux beaux jours, les chênes bleus autour du vieil ermitage inhabité, les beaux peupliers noirs, les érables palmés jusqu'au pont de bois sur la rivière et, s'il en trouvait la force, le mont Jimura derrière la première montagne. Il s'appuyait sur un bâton ciselé à motif de flammes, emprunté à son maître Osaki, dont les cendres, mêlées au terreau du jardin, n'avaient certes plus besoin d'appui. Mais lui, longtemps confiné en cet hiver de neige et de glace à contempler les éventails en mémoire du jardin idéal, manquait de souffle et de vigueur. Il avait même oublié de se nourrir, trop absorbé par des visions que peuplait la fuyante Enjo. La passion d'une seule fleur l'avait exténué.

Des pierres roulèrent sous ses pieds avant qu'il eût rejoint le chemin des forêts. Il pouvait voir maintenant les immenses miroirs couchés des rizières, des champs de blé encore en herbe, et les jardins potagers en couronnes bigarrées autour des hameaux. Les longues vagues ourlées d'écume déferlaient, au rythme lent des nuages, aux confins de ces cultures basses. Les rives étaient vacantes à main droite, plages et lagunes, avec quantité de barques de pêcheurs et de bateaux de plaisance au mouillage, plus urbanisées à main gauche, parmi les bassins du port, les alignements des docks et, plus loin, le vaste complexe de béton et de verre du site industriel. À l'écart du bourg d'Atôra, bien distincte, la vieille toiture de tuiles en terre cuite à double pente de la pension de dame Hison, avec son pignon central. En retrait, le toit de chaume de la baraque, piqué de fougères et de coucous, entre le grand châtaigner et les pruniers en fleur du verger attenant, semblait un coin de pâture folâtre en bordure du jardin tortueux.

Par une voûte de feuillage, au bout des layons, Matabei accéda sans hâte à la voie forestière. Le soleil pâle de midi scintillait sur les ramures des trembles, des arbres à liège et des bouleaux ; il se souvint des pluies battantes de la nuit et d'un rêve sous toute cette eau : les poupées de tissu et de papier à tête de fantôme, c'est bien sûr Aécha qui les avait pendues à sa fenêtre. Ses longs cheveux trempés tombant sur les lys du jardin, elle clamait à tue-tête et sans bruit pourtant la comptine qui réclame aux figurines de chasser la pluie. Aé-cha mâchonnait l'air, les lèvres barrées d'une croix. Il se rappelait à peu près les paroles, confuses dans son rêve, pour les avoir entendues enfant :

S'il fait beau, un grelot d'argent je te donnerai
Si mon vœu tu accomplis, nous boirons le saké sucré
Mais si tu pleures, si tu pleures, la tête je te couperai

Le chemin grimpait maintenant entre les buissons de fusains, d'aralias et de houx, parmi des rochers d'inégales dimensions émergeant des mousses et des lichens ambrés, avec en arrière-plan des pins parasols et des cèdres nains. Il ne pouvait qu'admettre une fois de plus la souveraineté de la nature. Jardiniers et maîtres paysagers s'épuisaient en vain dans l'imitation de son aspect sauvage. Tant d'harmonies et d'heureux contrastes n'étaient pas dus au seul hasard : des millénaires d'ajustement avaient façonné ces abords jusque dans la sensibilité de générations contemplatives. Seules la foudre, les intempéries ou la dégénérescence liée à l'incurie humaine pouvaient s'attaquer au paysage. Mais une magie native remodelait vite ces espaces. La nature respirait de tous les souffles de la montagne. Son énergie calme était comme la pensée des éléments, un dialogue entre ciel et terre. Matabei s'immobilisa, l'esprit aux aguets. Une bourrasque échevela un cèdre pleureur aux lianes d'or ; portées par le vent, les cloches d'un sanctuaire shinto tintèrent en même temps que sifflait le milan. À quelle fin les signes du monde coïncidaient-ils ?

Il reprit sa marche, bien décidé à revoir le lac et la forêt de bambous. À mi-chemin, au cœur d'une percée de fougères dentelées d'un éclat outrancier, en lisière de frêles bouleaux au feuillage naissant, il reconnut avec surprise, un peu désolé des lacunes de sa mémoire, la nef de l'ermitage sur son flot de bruyère, étroite maisonnette sur pilotis à la peinture rouge et ocre écaillée aux jointures des planches. À chaque ascension vers la deuxième montagne, il était passé devant l'édicule, s'attendant à voir surgir un crâne chauve de moine. La déshérence du lieu avait fini par le lui rendre aussi impersonnel qu'un arbre parmi d'autres. Plusieurs pourtant peuplaient son souvenir, à commencer par le ginkgo, d'au moins trente mètres, poigne d'atlante jaillie de terre au niveau du poignet, les doigts rassemblés pour soutenir le ciel. Plus haut, à l'ombre d'un sous-bois couvert de chèvrefeuille, entre les charmes et les ormes, dans une trouée en éventail, il reconnut le lac Duji, miroir de lumière avec ses rivages boisés et son îlot que couronne un temple au seuil d'une gorge nocturne protégée d'une double muraille de conifères dont seul le créneau des faîtes apparaissait. Les contours du lac, le sanctuaire sur le rocher et la vieille barque au bout d'un ponton reconstituaient une vignette précieuse du souvenir, avant la mort d'Osaki et le départ sans adieu du cher Hi-han.

Aussitôt lui revint à l'esprit sa quête du moine aveugle. Sur cette même barque, à la tombée du jour, il avait ramé jusqu'à la porte des oiseaux et, porté par le courant, s'était laissé dériver à hauteur d'un escalier taillé dans la roche. Sentinelle de l'îlot, le novice l'avait conduit auprès du vieillard et tout s'était décidé très vite ; la réputation d'Osaki Tanako, à sa grande surprise, volait très loin au-dessus de son entourage immédiat, jusque dans les monastères et chez les érudits. Le moine aveugle lui avait d'ailleurs décrit avec une rare précision certains thèmes de prédilection du peintre d'éventail. «Nul besoin d'yeux pour apprécier un vrai maître !» avait-il proclamé sans rire. S'il était capable, suprême magnanimité, de pêcher le brochet avec une ligne sans hameçon ni appât, pourquoi n'aurait-il pas contemplé des peintures avec le vide de ses orbites ?

Réconforté par cette évocation, Matabei reprit le chemin de la deuxième montagne. Son bâton sculpté, il ne s'y cramponnait plus comme au début de l'ascension mais le tenait distraitement sur l'épaule, appelé par la vacante magnificence de ces altitudes.

L'ample forêt de bambous qui l'entourait, depuis cette longue clairière affaissée en forme de combe, s'agitait et frémissait au vent vif comme les parois d'une mer démontée. Réjoui de l'exploit malgré le mal d'usure qui l'affectait, Matabei se tenait bien droit, tout le corps retenu contre le bâton du maître jardinier. Intensément absorbé dans la contemplation de ce miracle d'impérissable fraîcheur, il souriait à l'immensité. Son esprit était pareil à cette clairière, au milieu des visages aléatoires des frondaisons qui oscillaient et se mêlaient doucement par milliers. Cataractes et geysers d'une mystérieuse vigueur, le feuillage semblait animé d'un grand souffle, inspirant et expirant, sous l'azur balayé de nuages rapides, tandis que la lumière du jour se répandait en arches croisées de flèches, en nappes et en ruissellements entre les houppiers et les rhizomes à nu des fûts. Le bruit de source des bambous laissait entendre, voilé par un bercement marin, la ritournelle obstinée des courlis, des bouvreuils, des fauvettes. Il eut un pincement au cœur. Même le chant de la grive lui parvenait comme une leçon apprise enfant. Toute cette beauté obstinée, persévérante et comme rassasiée d'elle-même l'excluait assez, lui et ses états d'âme. Était-ce sa déplorable santé ou la lassitude qui l'empêchait aujourd'hui de respirer en accord avec cette merveille transitoire ? Fallait-il invoquer les mânes de la forêt, marquer d'un vœu chaque feuille tremblotante ? Matabei soupira, conscient de ses leurres. Il aimait, tout bonnement ; l'âge était venu d'un coup, en même temps qu'une absurde passion adolescente. Son erreur était d'avoir cédé. L'amour caché vaut mieux que l'amour, disaient tous les codes guerriers. L'aventure pourrait se clore ici, sans autre trouble enfin.

Au moment où il se rétablit sur sa longue canne après un début de vertige, la terre se mit à trembler. D'abord imperceptiblement, comme il arrive bien des fois, puis de manière ascendante. Le poisson monstrueux des légendes passait et repassait sous ses pieds en battant des flancs et de la queue. Sinistre, caverneux, un grondement monta de toutes parts. Associé aux secousses continues, aux à-coups qui ébranlaient la montagne, on eût dit l'effondrement d'une ville souterraine ou quelque avalanche cyclonique par tous les gouffres de la Terre. La clairière ondulait par endroits, et les bambous s'agitaient à se rompre dans un long bruissement volé au vent. D'abord circonspect, les jambes écartées sur ce sol mouvant, durant une minute distendue où le phénomène remplaçait toute pensée, Matabei fut pris d'une épouvante viscérale : le séisme ne faisait que s'accroître et semblait parti pour détruire Atôra, le district et le monde. Un énorme rocher détaché d'un talus dégringola alors, brisant des arbres, forant un lit de terre noire dans le tapis de fougères. Il s'écarta d'un brusque mouvement de côté pour esquiver sa trajectoire et, la vie sauve, parut s'éveiller. La terre tremblait de plus belle, seconde après seconde, et l'éventualité qu'un tel événement fut réel, soudain flagrante, le poussa à courir en boitillant vers l'escalier de racines qui menait à la plate-forme.

Quantité d'oiseaux affolés tourbillonnaient au-dessus des arbres. Il pleuvait des feuilles et des brindilles sèches ; la houle des hautes branches prit une inflexion précipitée. Les cannes des bambous tintinnabulaient sur fond démultiplié de grelots, de trompes et de gongs. Matabei, trébuchant, fut rattrapé par une panique d'images remontées des puits de la mémoire en quelques secondes – comme une réplique du séisme de Kobe, seize ans plus tard. Avec en tête des cris et des appels au secours. Sur le tertre en promontoire, deux ou trois minutes s'étaient écoulées, la terre ne tremblait plus, les bouleaux cessèrent leur assourdissant télescopage, rien ne semblait avoir eu lieu.

Une grive se remit à chanter. La mer au loin moutonnait à peine et les navires poursuivaient tranquillement leur trafic. Matabei crut voir fumer le mont Jimura. Il se surprit à trembler à son tour, mais ce n'était qu'un nuage venu coiffer le volcan.

Par échos nombreux que le vent rabattait, des sirènes partirent à hurler à des distances diverses. Du côté des rizières et des labours, à l'est de la première montagne, Matabei aperçut d'un œil égaré les signes minuscules du sinistre : des incendies, des toits brisés, l'asphalte d'une route retourné comme la mue d'un serpent. Une secousse de moindre amplitude fut un subit rappel à l'ordre. Les yeux agrandis, il cria dans un souffle le nom d'Enjo. Il dévala les sentiers tortueux, buta sur des arbres déracinés, s'empêtrant dans leurs branches, escalada des amas de pierres chues des pentes, les bronches sifflantes, courant ou se traînant, une main contre sa poitrine. Son crâne s'emplissait de murmures et de grincements. Tous les esprits de la montagne l'incitaient à aller plus vite encore. Autant que l'effort brûlant sa face, l'angoisse glaçait son dos et ses membres. Dans sa course, effrayé de l'augure, il s'aperçut avoir lâché le bâton d'Osaki. Ces deux ou trois minutes de trépidation générale ne cessaient de se répercuter en spasmes, en contractures ; mais il se relevait malgré cette entrave et, sans un regard pour les repères du chemin, ginkgo, ermitage ou forêt de cèdres nains, il se laissa glisser le long de la lame courbe d'une rivière étincelante, vers les dénivellements disloqués du contrefort, les champs de théiers intacts et la basse vallée d'Atôra.

Un peu moins d'une heure après le tremblement de terre, poussée sur des dizaines de kilomètres depuis le large, à la vitesse huilée et comme suspendue du phénomène pélagique, la première onde de mer dressée à perte de vue en une gigantesque falaise s'abattit sur les côtes du district comme sur le littoral avec toute l'énergie accumulée à travers l'océan. Les installations portuaires furent presque aussitôt submergées, démantibulées, fracassées ; les entrepôts s'effondrèrent ou, descellés de leurs fondations, partirent à vau-l'eau au milieu d'un chaos d'automobiles, de camions-citernes et de bateaux de toutes tailles arrachés à leurs amarres. Grimpés sur le toit d'une cimenterie, un escalier de phare ou quelque mirador, les survivants virent disparaître une fourmilière de chiens tétanisés, d'enfants, de familles entières sous l'intense flot noir chargé de débris, avant d'être à leur tour emportés par une deuxième vague plus destructrice encore, puis une troisième prolongea avec une puissance décuplée la poussée des eaux à l'intérieur des terres dans une confusion de véhicules, de barques et de planches, de pylônes et d'arbres tournoyants aux confins du maelström. Tout ce qui n'avait pas d'attaches, objets ou créatures, était avalé après une sorte de salut giratoire et parfois recraché à la surface diluvienne tandis que l'onde s'engouffrait par toutes les anfractuosités, éventrant les édifices, hangars ou immeubles d'habitation, déplantant du sol les maisonnettes qui, transformées en chalands instables, allaient percuter les cargos qui dérivaient au cœur des avenues et des parcs noyés. Les vagues géantes se succédèrent, venant à bout des constructions fragilisées par le séisme, contournant les obstacles sur lesquelles elles se rétractaient en nœuds d'hydre pour envahir d'un flux continu les zones adjacentes. Emportés loin du secteur résidentiel, parmi les landaus et les vaches mortes flottant par-dessus les champs ou les rizières, des femmes et des enfants hurlaient sans qu'on les entende, cramponnés à des bouts de bois, des portes, des troncs brisés. La phénoménale langue de mer s'enfonçait avec la célérité d'une ombre dans les campagnes, balayant sans distinction hameaux et cultures. Chargée d'humus et de pétrole, elle s'étendit comme un sang noir et gonfla immensément jusqu'aux pentes des montagnes.

Toujours courant et trébuchant, Matabei s'effarait à la vue du déluge. Sept, huit déferlements

s'étaient succédé pendant qu'il dévalait le contrefort et toute la plaine subissait maintenant
l'inondation hormis quelques îlots en surplomb,
des pacages et les cultures de théiers sur les plus
hautes déclivités. Là-bas, dans ce chaos liquide,
rien ne lui apparaissait des repères connus. Il
avança encore, juste au pied de cette crue des
abysses, cherchant un moyen de poursuivre, mais le
bouillonnement aveugle s'étendait à l'infini. Avant
leur immersion définitive, des volailles caquetantes,
des brebis et des chiens barbotaient pitoyablement
au hasard du courant et parmi les débris. Matabei,
à bout de recours, se laissa happer par un paquet de
mer. Comme les bêtes piégées, il se débattit contre
les remous, cherchant de l'œil le châtaigner du
jardin entre deux crêtes de houle. Une solive le
heurta à l'épaule et il manqua se fracasser contre
une cuve de fuel roulant sur elle-même. Rattra-
pant la poutre, il s'y agrippa des deux bras. Une
âcre odeur d'incendie le prit à la gorge. Des fumées
s'élevaient un peu partout, des épaves en flammes
allaient à la dérive. Après d'autres montées de
vague, la marée dévastatrice parut fléchir frontale-
ment et par endroits se retirer avec une force
d'impulsion inverse. Toujours crispé sur sa
planche, Matabei entrevit un désordre meurtrier
autour de lui, tourbillons et ressacs d'où jaillis-
saient par instants des éperons et des lames de tôle,
mais entraîné par le reflux, près de lâcher prise, il

commençait d'éprouver cet alanguissement de l'instinct vital qui précède le renoncement, quand les branches flexibles d'un saule pleureur giflèrent son visage. Il s'y cramponna sans réfléchir et, grâce au mouvement souple des ramures, se retrouva bientôt juché sur une enfourchure, tandis que la solive poursuivait sa course de fétu vers le large.

Matabei goûta sur ses lèvres le sel du sang mêlé à l'eau fangeuse. Son épaule endolorie le faisait à peine plus souffrir que chacun de ses membres perclus de contusions. Hagard, l'esprit comme dessaisi, il recouvra peu à peu sa respiration, l'œil errant sur un spectacle de fin du monde. En se retirant, les flots tentaculaires chargés de sable et d'argile creusaient des tranchées méandreuses où la rocaille affleurait, dépouillait les routes de leur couverture d'asphalte et mettait partout à nu le désastre des cultures, champs et vergers, laissant sur leur passage des mares bitumeuses, des rivières égarées d'où émergeaient des épaves calcinées parmi les feux épars. Visibles depuis la charpente du saule, derrière un rideau fluctuant de lianes, les ruines du rivage, du côté des docks et des usines, fumaient sinistrement tandis qu'un concert de sirènes couvrait le fracas d'avalanche du repli marin.

À travers cette coupole ambrée qui se balançait au vent, Matabei scrutait les parages, se retournant de droite et de gauche, la nuque douloureuse. Il crut reconnaître la tête de son châtaigner, assez loin dans les terres, et des larmes coulèrent sur ses joues écorchées. Songeant au sort d'Enjo, un sentiment de détresse absolu s'empara de lui. Il se mit à grelotter et à claquer des dents comme si tous ses os allaient se rompre. Sur son perchoir, à l'abri du déferlement, il invoqua longtemps le nom de sa maîtresse, jusqu'à ce qu'elle fût presque à portée de main, vivante, enjouée ; d'autres visages défilèrent avec les nuages. Qu'étaient devenus dame Hison et monsieur Ho, et les amants persécutés ? Puis il se prostra tout entier, silencieux, l'esprit hanté par la merveille du jardin et les mille éventails d'Osaki.

Au-dessus des campagnes, très haut, les nuages emportaient avec eux l'énigme d'une vie sereine, en si peu de temps abolie, anéantie, chue dans l'océan comme un cerf-volant au bout de son fil.

Malgré les projecteurs branchés au groupe électrogène, l'obscurité montait dans le grand hall aux murs chaulés de la cimenterie. Sur des lits de camp, une centaine de rescapés à peu près valides attendaient d'être évacués vers l'arrière-pays. On leur avait distribué des vêtements et de la nourriture. Beaucoup dormaient, comme assommés, sous leur couverture isotherme, d'autres considéraient les lieux d'un air étonné, les mains tordues, tandis que les plus apparemment affectés gémissaient, appelaient un enfant ou un compagnon disparu, criant pour qu'on leur vînt en aide. Des secouristes, médecins et infirmiers, souvent protégés d'un masque sanitaire, allaient des uns aux autres, prodiguant leurs soins avec une sorte d'effroi contenu. Les grands blessés du secteur avaient presque tous été conduits dans les services d'urgence des hôpitaux, mais les cadavres souvent mutilés et défigurés s'entassaient au fond de la cimenterie et cette présence mal dissimulée rendait plus atroce les plaintes des survivants.

Un bandage en travers de l'épaule gauche, des

pansements sur le crâne et la face, Matabei comprenait mal son état et sa situation. Quelques heures plus tôt, on l'avait aidé à enfiler un pantalon et une veste de chantier imperméabilisée sur des sous-vêtements de drap. Il s'était rallongé avec l'impression que son cœur à bout de ressort allait cesser de battre. Assis sur un lit de camp voisin, un homme en état de choc marmonnait sans arrêt qu'il devait sauver sa femme, qu'il lui tenait la main quand la vague l'avait emportée, qu'elle ne pouvait pas l'abandonner. De l'autre côté, une jeune fille sanglotait, le visage enfoui dans sa couverture. Des infirmiers dispensaient des mots d'apaisement, avec le verre d'eau minérale et les sédatifs.

La nuit aveuglait maintenant les alignements d'ajours en forme de hublot, sous le plafond de l'édifice. On débrancha quelques spots après un dernier passage des médecins. Peu à peu, les plaintes s'étouffèrent avec, de temps à autre, un râle de terreur réverbéré contre les hauts murs. Matabei était en proie aux rêves filandreux du demi-sommeil. Dix fois, l'énorme vague le rattrapa, marécageuse, roulant des choses mortes. Il se voyait emporté vers le large, en équilibre sur un bâton sculpté, quand la chevelure déployée d'Enjo le sauvait de la violence des eaux; il s'y agrippait comme aux branches d'un grand saule au-dessus du flot noir. Un corps de femme

décapité glissait, immense, sous ses jambes sus-
pendues dans le vide et il lui parut qu'un étau se
resserrait sur ses chevilles et qu'il s'enfonçait au
plus noir de la nuit.

Réveillé en sursaut, il aperçut des ombres qui
s'affairaient, agrandies par un projecteur : on
ajoutait des morts aux morts à l'arrière du
bâtiment ; les civières défilaient en silence parmi la
masse engourdie des sinistrés. L'horreur était si
subite et entière, qu'il n'y avait plus pour l'heure de
frontière entre vie et trépas, comme si l'indétermi-
nation extravagante du désastre eût permis, d'un
mouvement subreptice, d'opter pour le départ ou
de revenir du néant. Dehors, les sirènes des véhicules des forces d'autodéfense et des sapeurs
pompiers n'avaient cessé d'ululer dans la nuit. On
distinguait un vacarme lointain de ferraille et l'éclat
brouillé des mégaphones.

Peu avant le jour, camions et ambulances de
la sécurité civile vinrent se garer devant la cimenterie pour acheminer les réfugiés vers diverses
structures d'accueil des districts environnants. Un
va-et-vient de brancards et de fauteuils roulants
finit par mettre chacun sur le qui-vive. « Je veux
rentrer chez moi ! » déclara un solide personnage
au bras plâtré, vite relayé par d'autres, hommes et
femmes aux faces marquées par ces heures horri-
fiques. Un responsable local des secours s'empressa
de juguler le tumulte. « Le gouvernement a décrété

l'état d'urgence, déclara-t-il. Nous avons ordre d'évacuer les populations sur un rayon de dix kilomètres. Ne vous en faites pas, vous rentrerez bientôt chez vous. Nous appliquons seulement le principe de précaution… »

Dans le brouhaha lié au transfert des réfugiés, entre les exhortations de ceux qui n'acceptaient pas d'être arrachés à leurs maisons ou à leurs morts, ceux qui espéraient retrouver un disparu, et la bousculade provoquée par les paroles du responsable de la sécurité civile, lequel venait d'évoquer une distribution de pastilles d'iode, Matabei s'était faufilé vers la pénombre étoilée des gyrophares. Ce ne lui fut pas difficile de s'écarter des foules rassemblées comme du bétail et conduites ici ou là par les sauveteurs débordés. En sandales de caoutchouc, sa couverture sur les épaules, il s'engagea dans la direction des montagnes qui se découpaient à distance, ténèbres dans la grisaille. Il marcha par les rues et les allées, certaines recouvertes d'une boue épaisse où s'enlisaient les véhicules et le mobilier urbain. Il chemina longtemps le long de décombres, entrepôts abattus, maisons en ruine qu'une dépouille songeuse semblait hanter parfois, canalisations éventrées sous le bouillon desquelles finissaient de sombrer quantité d'objets ménagers – réfrigérateurs, lits, télévisions, jouets, fauteuils boursouflés extirpés des intérieurs par la puissance du flot.

Les premiers champs atteints, Matabei considéra l'ampleur du cataclysme d'un coup d'œil circulaire – des eaux stagnantes partout, les vergers, les cultures, les rizières ravagés, des lignes électriques abattues en domino, et ces ferrailles renversées, ces fanaux d'incendie dans le petit matin, ces cadavres disséminés, bovins, volailles, moutons. À l'écart du défilé des convois spéciaux, des camions et des ambulances, il envisagea un talus à peu près stable sur ces tourbes. Un vacarme de rotors effraya des bandes de corneilles venues festoyer. Elles tournoyèrent longtemps tandis que les hélicoptères survolaient à basse altitude les édifices du littoral et les docks sans chercher davantage à se poser.

L'esprit comme aboli, Matabei titubait au soleil levant qui trouait les brumes. D'un pas égal, il avançait maintenant sur une bande de terre que des ormes et des chênes amarraient, sans pensée aucune, inattentif même à cette pluie cendreuse ruisselant sur sa face.

Ce n'était plus qu'un terrain vague, un champ de boue informe, avec seulement quelques arbres saufs, à côté d'autres rompus ou dépouillés de leurs branches, des rochers coiffés d'algues, le bassin comblé de pierres dégringolées et des débris du kiosque, des flaques huileuses un peu partout, le ruissellement des trois cascades et des rigoles perdu dans le limon retourné des plates-bandes. Un chalutier s'était encastré de plein fouet dans la façade du pavillon et se dressait, étrange navire ancré en terre avec, fragile échafaudage de part et d'autre, les restes de la bâtisse tels les hauts châteaux d'une caraque portugaise. Au fond du jardin, presque entièrement affaissée sur elle-même, toutes cloisons béantes, la baraque appuyait un bout de toiture et l'épaule d'un appentis contre le châtaigner intact.

Quand, au lendemain du séisme, à peu près à la même heure, l'écho de la première déflagration résonna dans les montagnes, Matabei qui déambulait sans fin autour des gravats et de l'épave, y prit à peine garde. Un épais nuage de fumée blanche s'éleva du littoral, puis s'assombrit dans le contre-jour. Des chiens hurlèrent et des corbeaux confluèrent en grand nombre au-dessus des campagnes brûlées de sel. Dans sa faiblesse, Matabei se souvint qu'il était né un onze mars, date haïssable aujourd'hui indifférente face à la perpétuité du désastre. Tous les dix pas, depuis des heures, il hélait d'une voix rauque les champs déserts. Enjo était-elle sauve ? Il ne voulait pas en douter et sans fin l'appelait, criait son nom aux oiseaux fous du ciel, sondait les trous de vase au bord des ruisseaux, les crevasses des routes, les fondrières. Parfois, épuisé, il tombait sur les genoux, la tête entre les mains. Le thé s'était mué en eau froide dans les bols, les pruniers ne sauraient fructifier, les manches mouillées des mortes ne sècheraient pas et les cerisiers plus jamais ne fleuriront.

À ce moment, la terre vibra – c'était la cinquième ou sixième réplique – comme un front de guerre qui recule. Avait-elle jamais cessé de trembler depuis la naissance du soleil ? Nuit et jour, battait le cœur de la déesse Amaterasu sous ces îles flottantes.

Des sirènes se remirent à hurler quelque part. La noria des hélicoptères occupa de nouveau l'espace. Matabei, relevé, marchait au hasard, la conscience bloquée sur le supplice d'une seule pensée. Il avait dégagé cinq corps des décombres ce matin, avec les gestes ralentis de la stupeur et l'appréhension du pire. Monsieur Ho tout bouffi, l'air infiniment désolé, dans une mare d'eau de mer, Aé-cha nue jusqu'au bas-ventre et affreusement défigurée par un pieu qui lui traversait le crâne, les deux amants tristes qui s'étreignaient encore et dont il dut séparer les chairs, dame Hison très pâle, sans une plaie, impeccable dans son kimono de jour comme si elle s'était apprêtée pour la circonstance. L'un après l'autre, il avait transporté les corps hors des éboulis et s'était appliqué à les disposer côte à côte, devant la route disloquée, à l'abri des charognards et des lacets d'eau qui suintaient de toute chose. Il n'avait pu retrouver ni Enjo ni la vieille servante, laquelle lui importait si peu que tout le poids de sa solitude s'accrut de cette navrante constatation. Pendant la besogne macabre, au moins n'avait-il pensé à rien, l'esprit annihilé par tant d'outrance : les entrailles des morts remplaçaient soudain les fleurs et les feuilles. Glacé de l'intérieur, comme anesthésié, il avait accompli en somnambule une sorte d'impératif obscur : dénouer des membres, croiser des mains, fermer des paupières, travestir l'horreur criante de la suffocation et de la noyade sous la physionomie du sommeil. Et puis, rendu à la vacance cruelle de l'événement, il s'était mis à chercher Enjo en damné de chaque instant. L'idée qu'elle eût pu, avec ces milliers d'autres, être emportée par la crue, excédait ses forces. Dès qu'elle s'imposait à lui, il tombait à genoux sur le sol abrasé, grelottant de tous ses membres par manière de déni. Enjo était vivante ; le jour sans elle ne pouvait être. Sans elle, le monde disparaîtrait comme un torrent asséché.

Revenu sur ses pas, les bras noués contre sa poitrine, Matabei examinait le jardin anéanti, le pavillon pourfendu dont la charpente craquait sous la pression de l'épave, les belles carpes crevées ou moribondes dans les flaques, la baraque effondrée. Où dormirait-il maintenant ? De même que l'on ne saurait se soucier, au fond du malheur, de l'ombre du plus bel arbre abattu par la foudre, il ne s'inquiéta pas vraiment des éventails d'Osaki Tanako, de ses merveilleux lavis et de tous ses poèmes. Les cendres du maître avaient été emportées par la mer avec les fleurs de son jardin.

Entre deux fracas de rotors, la rumeur des vagues lui parvenait si calme au vent du large. Une grive des vignes tout ébaubie s'était remise à chanter sur un moignon de branche. À l'envers du ciel, des ourlets en forme de lèvres s'étiraient au secret des nuages qui prenaient les contours d'un visage, toujours le même, incessamment redessiné.

Les véhicules tout-terrain des services sanitaires de la protection civile chargés de quadriller le district n'abordèrent que tardivement cette encoignure perdue de la contrée d'Atôra. Une douzaine d'hommes, plusieurs en cagoule et combinaison antiradiation, d'autres simplement casqués et bottés, un masque blanc sur la bouche, se répandirent dans l'enceinte de l'auberge. Le chef de l'équipe et un médecin urgentiste eurent un rire bref devant l'épave fichée en travers du bâtiment. Sa caméra tenue à bout de bras, le journaliste qui les accompagnait arrêta sa prise de vue panoramique sur un survivant tête nue qui venait vers eux.

— Là-bas, marmonna Matabei en désignant un talus. Les corps des habitants...

— Nous allons les enterrer sommairement, dit le chef d'équipe après un soupir de lassitude. Vous allez nous décliner leurs identités pour qu'ils puissent être reconnus...

— Les enterrer ? s'étonna l'homme à découvert.

— On compte des milliers de victimes sur le littoral et dans les terres, comme ici. Plus tard, les familles reviendront accomplir les rituels.

Après une révérence et quelques paroles de courtoisie, le médecin s'était approché de Matabei pour l'examiner. Dans un état de fatigue extrême, ce dernier se laissa faire. Il subit les soins sans mot dire, enfila des vêtements secs, et bourra ses poches de biscuits et de fruits, tout en considérant d'un œil vide les autres membres de l'escouade en train de retourner des planches ou de promener leurs détecteurs de radiations.

— Quoi qu'il en soit, déclara le chef d'équipe, on vous emmènera vers l'arrière après avoir enterré ceux-là et mis à jour notre liste des disparus. Vous n'avez pas vu d'autres blessés?

— Je ne tiens pas à partir, dit Matabei.

— Désolé, mais l'ordre d'évacuation a été étendu à vingt kilomètres dans l'après-midi, et ce n'est qu'un début.

— Je préfère rester.

— Impossible! On ne laisse sur place que le bétail et les animaux de basse-cour…

Le reporter s'était détourné dans l'intention de filmer les opérations d'inhumation mais le chef d'équipe l'en dissuada. L'un des camions équipé d'une pelle hydraulique s'employait à creuser une tranchée sur un terre-plein tandis que des hommes en combinaisons enfournaient les cadavres dans des housses métallisées après les avoir munis d'un bracelet à leur nom. Une fois la fosse commune confiée aux ouvriers de terrassement, manifestement épuisés au terme de cette journée, les secouristes oublièrent le rescapé. Seul le médecin s'enquit de lui parmi les décombres de l'ancien jardin ; il l'appela deux ou trois fois, les paumes en porte-voix.

— Laisse tomber ! finit par conclure le chef d'équipe. Les policiers de service s'en chargeront plus tard...

Matabei avait atteint les pentes, au-delà du passage des eaux, sur le chemin des forêts. À cinquante mètres au-dessus du niveau de la mer, déjà, il n'y avait plus trace du raz-de-marée ; à peine si quelques branches brisées, un rocher renversé, signalaient çà et là l'origine tellurique du cataclysme. Le seul endroit salubre trouvé après sa fuite de la cimenterie, la nuit passée, dans la périphérie de l'enclos, Matabei y repensait avec un sentiment de totale irréalité : c'était le bateau de pêche dressé comme une arche dans ces glèbes lunaires. Il s'y était faufilé par une béance, depuis les combles d'une partie sauve du pavillon, espérant y trouver âme qui vive, et s'était endormi d'un coup sous la chaloupe de secours de l'avant-pont, indifférent au tangage ou aux craquements sinistres des parcelles de charpente qui mainte-

naient à peu près le chalutier sur sa ligne de flot-
taison. La forte odeur de mer mêlée aux fumées
âcres avait engendré en lui un état de somnolence
où affluaient les souvenirs. Il revit avec une
netteté hypnotique cette rue du port de Kobe
avec son marché aux poissons incendié. Tout
s'était désagrégé alentour, les routes, les buil-
dings, dans un fracas de papier froissé. Les foules
muettes s'étaient répandues de part et d'autre des
gueules rugissantes du sol, sous les catapultes des
toits, au milieu d'explosions et de geysers…

À l'aube, sous la chaloupe, la conscience lui
revint sans la moindre image, comme une sensation intempestive, presque blessante, d'un goût
saumâtre. Quelle force obstinée vous restitue
au monde, après l'apocalypse ? Il aurait préféré
disparaître au plus profond de la terre des songes
et subir l'épluchage de l'oubli jusqu'à perdre
toute identité. Mais la vie est coriace et l'eau
claire du jour n'efface rien. Matabei savait qu'il
ne pourrait plus dormir avant longtemps. Son
épaule lui faisait moins mal que le nom d'Enjo
sur ses lèvres. Pourquoi la destruction n'était-elle
pas complète ? Une petite voix moqueuse lui
soufflait la réponse : pour permettre à l'empire
de la douleur de s'étendre un peu plus.

Le ciel assombri se déchira sur une constella-
tion. Un croissant de lune apparut entre deux
branches du châtaigner. Quelques chauves-

souris voletèrent dans un léger froissement d'éventail. Même la hulotte était au rendez-vous des ombres.

Le lundi qui suivit, peu avant midi, une deuxième explosion effaroucha les tourterelles et les pigeons ramiers réfugiés dans le sous-bois. Ils s'envolèrent avec un sifflement de sabre. D'autres volatiles s'élevèrent des massifs dans un même mouvement d'alerte, tandis qu'au zénith, par centaines, goélands et mouettes planaient sans discontinuer, fleuve d'ailes en lente perdition. Quantité de petits mammifères, rongeurs, renards, belettes avaient trouvé refuge dans les fourrés et, déjà, se livraient une guerre piaillante pour un bout de territoire. Chassés par les avalanches rocheuses des versants, des bandes de macaques s'étaient répandues avec des cris perçants sur les forêts des pentes. Plus faiblement mais de toutes parts, on percevait les hurlements des chiens abandonnés à leurs chaînes dans les replis des basses terres et les sirènes mourantes des voitures bousculées par les trépidations sismiques.

Sorti de sa prostration après une nuit et un jour d'un sommeil fiévreux, Matabei sentit la faim le tarauder. Il dévora les biscuits d'une des rations de survie donnée par un secouriste et considéra posément les lieux. Où se trouvait-il, au fait? La lumière tamisée inondait une chambre assez vaste ouverte sur deux fenêtres coulissantes. Partout, le plâtre émietté laissait voir l'ossature des murs, les poteaux porteurs encastrés entre lesquels courait un treillage de lames de bambou. Au travers, affaissé par endroits sous ces tresses, s'effritait un torchis de terre sèche, de gravier et de paille de riz, entre les aboutements verticaux de cordes lisses glissées au creux d'échancrures, en guise de joints de dilatation. Le même bardage de bois garnissait le plafond dont l'enduit d'apprêt était presque entièrement érodé.

Trop épuisé, Matabei avait dû s'allonger à l'aveuglette sur cette natte de joncs, parmi les gravats et la poussière. En se penchant à la fenêtre, le ginkgo et les chênes bleus l'éclairèrent: il s'était introduit dans l'ermitage l'autre soir. Il remarqua un évier de fonte dans un angle, un brûloir à essence sur une planche, une bouilloire et de menus ustensiles sous des restes de torchons rongés par les souris. Dans un placard, une table basse, deux tabourets, un tas de chiffons au fond d'un panier. Et sur tout ce décor, les toiles d'araignée accumulées depuis des mois ou des années. Les pèlerins, assurément, devaient lui préférer la cellule d'ascèse de quelque tente de randonnée.

Accroupi sur la natte, Matabei se perdit dans

l'observation d'une scolopendre morte, enveloppe de chitine luisant comme un collier en perles de rocaille. La grosse tête désolée de monsieur Ho, le visage blême de dame Hison et ceux des amants secrets défilaient en transparence, privés de vie et implorants. Un pieu dans le crâne, Aé-cha n'était plus qu'un regard de reproche sans pupilles ni paupières. « Que me voulez-vous ? » allait-il se récrier, quand une douleur aiguë se ranima en lui, précise, à l'endroit du cœur, avec la certitude d'avoir perdu sa chance. Tout était fini maintenant ; il avait dormi au lieu de sauver Enjo. Comment imaginer son corps fragile emporté par l'océan, sa bouche muette dans l'énorme vague ? L'évoquer réellement serait périr. Cet instant qui sépare, il le touchait presque, plus affilé qu'une lame, il s'y transperçait l'esprit à force d'adjuration. Était-ce concevable de ressentir à ce point la présence dans cette syncope de la séparation ? Il eût voulu s'y engloutir pour la retrouver, pour ramener à lui Enjo. Elle était là, incandescente, au bord de ses doigts, de son souffle. Matabei poussa un faible cri et tomba inconscient, la face dans la poussière.

Il y eut une troisième explosion le lendemain à l'aube. Une épaisse fumée tournoya dans l'azur à peine voilé de brume et, chassée par le vent d'est, alla coiffer la première montagne d'un panache en forme de cortinaire. Matabei avait entrouvert les paupières sur la clarté bleuâtre tombant des fenêtres. Le chant éperdu des oiseaux de la forêt laissait croire à l'innocence du jour. Il avait rêvé de son vieux maître aux cendres délavées qui lui parlait du jardin des nuages et des fleurs de la mémoire. Ce qui se passait dans le territoire d'Atôra excédait toute raison ; la terre et l'océan étaient venus à bout des espérances humaines. Du littoral déserté s'étendait une haleine de mort.

À peu près d'aplomb, Matabei était descendu jusqu'aux décombres. Il se souvenait des jardins de temples figurant l'univers avec quelques cailloux sur un peu de sable ratissé et de ces jardins d'eau vive qu'il fallait traverser à gué sur des pierres plates en imaginant un lien magique d'impermanence. Ici, tout était retourné à l'esprit désormais. Il avait erré dans les anciennes voies, entre les cascades déviées, les futaies et les haies abattues, les lanternes renversées, les plates-bandes cuites par le sel : une boue étale recouvrait ces milliers d'heures passées à bêcher, bouturer, remuer la terre. Tenaillé par une vive appréhension, il avait jusque-là rejeté la possibilité même d'aller voir de plus près les vestiges de la baraque. Les secouristes y avaient jeté un coup d'œil rapide et étaient ressortis sans état d'âme.

Ne sachant trop à quoi s'attendre, dans l'hypothèse du pire, il s'y rendit ce matin-là avec l'impatience fébrile du désespoir. Sous le bout de toiture retenue par une branche maîtresse du châtaigner, ce qui fut l'atelier lui apparut dans toute sa désolation : les pluies de cendres et les nuées ardentes du mont Shinmoe n'auraient pu causer plus de dégâts. Un torrent de boue avait emporté les cloisons, ses chevalets droits et tous ses cartons. À ses pieds, mêlés aux gravats et aux cannes de jonc brisées, une pâte de papier grisâtre témoignait tristement de ses nuits d'étude. Matabei pataugea dans cette tourbe, dégageant des solives de charpente, glanant ici une boîte de couleurs, là des encres en flacons ou un bouquet de pinceaux serrés dans un élastique. C'est avec une immense surprise qu'il découvrit l'armoire de bambou à peu près intacte au fond de l'atelier. Elle avait été protégée de l'emportement des eaux par des poutrelles du toit qui, en lâchant, s'étaient fichées au sol tout contre ses portes. Quand il parvint à l'ouvrir, le spectacle pourtant l'affligea : l'eau de mer avait inondé l'intérieur. Détrempés, les éventails du vieux maître avaient perdu toute apparence. On ne distinguait plus que de vagues taches décolorées, l'esquisse d'une branche, les pierres d'un sentier, la première arche d'un pont, et quelques caractères, rarement un mot entier. Il eut beau ouvrir par dizaines les éventails et détacher délicatement les uns des autres les lavis en feuille, toute l'œuvre d'Osaki Tanako était abolie : n'en demeurait qu'un fond d'empreintes, un brouillard indéchiffrable pour quiconque n'en eût gardé souvenir.

Un bruit sec rompit le silence funèbre des campagnes. Sorti hors de cette alcôve de planches et de branches, Matabei considéra les abords bouleversés d'anciennes rizières par-delà les contours du défunt jardin. Les gémissements de l'épave qui s'affaissait graduellement dans la charpente éventrée du pavillon étaient ponctués de craquements. Parois et sols devaient céder sous l'énorme pression de la carène ; l'aileron de quille, en conséquence, s'enfonçait peu à peu dans les soubassements de l'édifice. Pourquoi s'étonner d'un navire bientôt à flot sur ces terres mouvantes ?

Matabei récolta divers objets dans leur écrin de boue séchée, une jarre, des souliers d'homme attachés par leurs lacets, une étoile de mer, un chat porte-bonheur en céramique. Il reconnut les étuis à baguettes en bois laqué de la pension et un tesson de potiche chinoise. Devant le pavillon, sur la route asphaltée qu'une marne sableuse drapait en partie, il fut de nouveau saisi par cette privation du bruit humain ordinaire que la rumeur des vagues au loin et les ultimes plaintes des sirènes et des chiens à l'attache ne parvenaient pas à dissimuler. À quelques centaines de mètres, sur un tertre en limite d'une zone préservée, la fosse commune où reposaient les corps des pensionnaires de l'auberge était signalée par un écriteau avec, sous la protection d'un film plastique, leurs identités inscrites à l'encre indélébile. De cette hauteur, Matabei observa les environs, les rizières aux chatoiements bleu pétrole, le littoral ravagé comme après un bombardement avec, à main droite, les bâtiments décapités du complexe de la centrale qui dégageaient un rouleau continu de vapeur ocre, la fracturation en ligne brisée des routes et les affouillements des champs et des pâtures transformés en salines, les véhicules renversés ou immergés dans les excavations.

Il redescendit et fit quelques pas en direction du bourg alors que le ciel se couvrait d'une taie cendrée. Seuls volatiles à la ronde, des corbeaux jetèrent un cri de triomphe indifférent sur ces champs de mort. Une vache meugla à son approche puis obliqua, en quête d'un coin d'herbage.

Matabei contourna une rangée de barrières de sécurité avec, accroché sur celle du milieu, un grand panneau de rappel de zone d'interdiction. Saisi d'effroi, il se précipita vers un bas-côté où grognait un chien jaune : trois doigts d'une main sortaient de la boue encore molle. Il s'accroupit, affolé, et se mit à gratter comme le chien tout à l'heure. Quand elle fut dégagée, son cœur cessa de battre : il crut y voir une main de femme, celle d'Enjo assurément. C'est en sanglotant qu'il déterra le bras puis l'épaule, avant qu'une tête et un torse maigre s'extirpent de leur gangue dans un clappement nauséeux. Le corps d'un enfant d'une douzaine d'années, labouré de plaies noires, resta longtemps à ses genoux. Une averse oblique s'était mise à tomber sur son visage, le décrassant des traces de limon et de sang, éclairant ses yeux au regard vide. Matabei offrit lui aussi sa face à la pluie pour qu'elle le lave de ses pensées et de ses larmes. Debout enfin, il se rendit à nouveau sur le tertre pour y déposer le cadavre du jeune garçon qu'il recouvrit de branchages et de pierres.

La zone d'évacuation avait été finalement repoussée à trente kilomètres et les réfugiés durent une fois encore quitter leurs abris de fortune, un peu plus démunis à chaque dépaysement. Toutes les villes et agglomérations du secteur étaient désormais vacantes. Dans les campagnes, des milliers d'animaux retournaient à l'état sauvage ou mouraient en masse dans leurs enclos. Les responsables techniques et les forces de sécurité ne cessaient de transiter sur les lieux du cataclysme sans parvenir à aucune solution fiable. Envoyée de Tokyo, une compagnie de sapeurs-pompiers spécialisés tentait d'endiguer un processus d'apocalypse au milieu d'une foule d'employés supplétifs qui se relayaient sur les lieux toutes les cinq ou six heures. Outre la destruction massive du littoral et de ses abords, la moitié nord du pays était invisiblement ravagée pour un demi-siècle et le pire pouvait advenir à tout moment, aux risques de l'île et du genre humain.

On ne remarquait à peu près rien de cette activité désespérée au-delà du périmètre circonscrit, excepté les feux des convois spéciaux sur l'une des rares routes praticables. Il n'y avait d'ailleurs plus grand monde pour s'en soucier dans les environs. Épargnés par les ondes de crue, des sortes d'archipels se détachaient, verdoyants et fleuris, dans la plaine brûlée par les dépôts de sel et d'hydrocarbure. Des bovins s'y regroupaient, des chèvres, des kangourous échappés d'un parc d'attraction. Au hasard des fracturations sismiques comme des emportements du raz-de-marée, des habitations isolées avaient été épargnées, des villages entiers figés en mémoriaux dérisoires.

Dans le bourg d'Atôra proche de la première montagne, la vieille Miho Kei était ainsi revenue occuper son domicile malgré l'interdiction. Fuyant un camp de transit, elle avait tranquillement contourné trois barrages des forces de l'ordre et, après des jours de marche, s'était retrouvée chez elle, avec ses trois chats, désolée de n'avoir pu sauver de leurs griffes son poisson rouge, ni les lapins nains du clapier de l'ingéniosité d'un renard. À part la coupure d'électricité et la disparition du voisinage, tout chez elle était resté en place. Miho Kei avait certes perdu son fils, sa bru et ses petits-enfants, emportés par la vague à bord de leur voiture alors qu'ils revenaient de l'école ébranlée par le séisme, mais devant l'ampleur des dommages, elle s'était résolue au sacrifice, mesurant chaque battement de son cœur, satisfaite au fond de l'uniformité des jours. Son âge la préservait assez du désespoir. Sans crainte des pluies délétères et des bandes de chiens fous, elle s'était remise à biner son potager. La nourriture ne manquait pas dans les celliers et les placards. Et on pouvait se servir librement à l'épicerie du centre ou chez le confiseur, à condition de bien noter chaque emplette pour être en règle avec les boutiquiers, s'ils daignaient revenir un jour. Un soir tout embaumé par les pêchers en fleurs, Miho Kei aperçut pour la deuxième fois l'homme en ciré noir. La première fois, elle s'était prudemment dérobée à sa vue par peur d'être à nouveau raflée et évacuée. Mais sur le chemin des parcelles, devant sa maison, il lui parut plus démuni que les *hibakusha* de sa jeunesse et elle l'interpella sans inquiétude.

— Eh, monsieur, monsieur, enchantée de vous rencontrer, voulez-vous un thé chaud ou quelque chose à manger?

Matabei sursauta; il eut été moins surpris de croiser un chien à voix humaine. Le visage flétri de la vieille l'émut comme le fond remué d'un rêve d'enfance. Il courut vers elle et s'inclina à son tour.

— Je cherche une jeune fille qui demeurait chez dame Hison, à la limite de la première montagne…

— Je n'ai vu personne, il n'y a plus personne que les esprits errants…

Matabei haussa les épaules. Le coup d'œil apitoyé de la grand-mère ne lui avait pas échappé.

— Ma famille vivait là depuis mille ans, poursuivit-elle. C'est pour ça que je reste quoi qu'il arrive, mais il ne faut plus espérer rencontrer une jeune fille, ou alors c'est un démon.

Matabei s'inclina plusieurs fois, très pâle, et envisagea sa longue route en relevant le front vers la ligne violette des montagnes.

— Revenez nous voir, s'il vous plaît! s'écria la vieille Miho Kei comme si rien n'avait eu lieu dans ce monde. Adieu! Adieu! Prenez soin de vous!

Dans l'ermitage, délivré des plaintes des bêtes délaissées, Matabei attendait l'aube pour se remettre à sa besogne : bientôt tous les éventails d'Osaki Tanako seraient à nouveau rangés et classés selon leur degré d'altération, et l'atelier de la baraque, tant bien que mal reconstitué dans sa cellule haut perchée, pourrait donner l'illusion d'un monde intact. On dénichait tout ce qui pouvait manquer en bas, dans l'espèce de décharge à ciel ouvert laissée par la mer : ferrailles et friperies, outils, boîtes de conserve. Deux lampes à pétrole alimentées grâce aux jerrycans entreposés sous l'escalier, éclairaient à loisir ses stupeurs nocturnes : il passait et repassait en revue les feuilles de papier de riz décolorées en s'efforçant de ressusciter d'absentes merveilles. Un *kanji* sauvé, même en filigrane, donnait lieu à des efforts singuliers de mémoire. Le caractère à peine lisible signifiant *endroit calme*, par exemple, n'était-il pas plutôt un cheval et fallait-il l'associer à celui d'univers ? Comment choisir entre iris et *kakitsubata* ? Les traits en partie dissous autorisaient tant d'in-

terprétations, qu'à la fin, l'unique qui fût à exclure
s'imposait :

> *Seul endroit calme*
> *dans cette ruée de mondes –*
> *la remise aux selles*

Matabei laissait les lampes s'éteindre, d'un coup
abattu par un sommeil redoutable. Au moment
de clore les yeux, l'effroi d'avoir à les rouvrir
comme chaque nuit sur la vague géante le téta-
nisait, ce qui différait d'heure en heure l'assou-
pissement. Ululements et coassements supplan-
taient déjà les échos affaiblis de la plaine. Son
corps s'enfonçait dans la désolation d'une solitude
si totale que la douleur sourde de ses membres
en devenait presque un réconfort. Il avait l'impression d'avoir dégringolé du bec d'une cascade,
sur des pierres aiguës.

Les lèvres d'Enjo sur ses plaies gluantes avaient
une vertu régénératrice. Enjo se coulait dans ses
bras et ils ne faisaient plus qu'un corps au cœur
double. Lécher sa peau opalescente, l'aine si ver-
tigineusement fade, la moiteur poivrée des
aisselles, mordiller ses petits seins dressés, entrer
en elle avec cette délectable, meurtrière douceur
du cauchemar le plus ancien. Mourir, mourir
d'elle autant de fois que la mort est possible. Tout
allait se résorber très vite. Matabei clama une der-

nière fois le nom d'Enjo ; elle lui souriait à travers une vitre, silhouette en palimpseste, sur une route à grande vitesse, et il ne pouvait s'empêcher de crier avec une véhémence insensée, devant l'irré-parable – cependant aucun son ne franchissait son rêve. La nuque glacée, il se redressa sur sa natte et scruta le parcours d'un rai de lune entre deux planches du parquet.

Marcher dans la nuit des forêts, par temps clair, lui rendrait l'esprit, sinon le discernement. C'était devenu une habitude, ce sursaut hors des maré-cages de l'épouvante. Une fois l'échelle descendue, dans la clairière d'ajoncs et de bruyères où l'ombre immense du ginkgo semblait indiquer la direction d'Atôra, il ne s'affrontait plus qu'à l'aphasie d'une terre maudite, à peine troublée à cette heure par le sanglot d'un rapace nocturne ou le gloussement soudain des macaques rêvant aux branches des chênes bleus. Les membres douloureux, il des-cendait d'un pas hésitant les sentes jusqu'aux limites de la vallée. Le vent du large s'était levé et fouettait son visage d'embruns au goût de rouille. La forêt s'éclaircissait à chaque tournant : cèdres nains, bouleaux des rochers, trembles et aulnes au bord d'une rivière à peine distincte sous un enfouissement de capillaires et d'aralias. Mais il s'était égaré dans la pénombre zébrée de lueurs et, trébuchant sur la racine d'un saule, il s'abat-tit comme un arbre et glissa un peu plus bas dans la brande. En voulant se relever, il agrippa quelque branche morte ; cependant le relief dans sa paume l'intrigua. Il ne fut pas long à reconnaître la canne d'Osaki, davantage à s'en étonner. Était-il jamais passé par là ? Il se releva en s'appuyant sur le bâton. Un liquide chaud se mit à couler de sa tempe. Sa tête avait dû heurter un galet ; plusieurs luisaient au clair de lune. C'était un chemin de gué. De l'autre côté de la rivière, un chant éploré le saisit. Le vent dans les roseaux prit diverses intonations, lugubres, espiègles, mystérieuses. Il s'agenouilla pour se laver le front et les mains. L'eau était si fraîche qu'il voulut en boire mais ses paumes recueillirent un crapaud tombé là. Dans son mouvement de recul, il aperçut des silhouettes penchées entre les aulnes. Reflets du plus sombre miroir, elles semblaient le supplier avec force sans que leurs voix fussent distinctes.

— Qui êtes-vous ? s'indigna-t-il. Que me voulez-vous encore ?

De colère autant que de frayeur, il se précipita en boitillant vers l'une d'elles et crut même effleurer sa manche avant d'admettre son égarement. Le conciliabule des roseaux et du vent s'amplifia, d'une irrémissible tristesse. En se retournant pour voir d'où il avait chu, il remarqua d'étroits espaliers peuplés d'arbustes : cognassiers, houx, genévriers, buis sauvages, surgeons d'érable. L'éclat infléchi de la lune découpait ces boqueteaux avec une précision joaillière. Matabei songea à l'étagère aux esprits dans la chambre de dame Hison, avec tous les sujets, les fleurs, les noms peints super-posés, les offrandes renouvelées d'encens et de gâteau de riz. La lumière s'accentua bientôt au point d'effacer ces constructions spectrales.

Quand l'aube pointa, Matabei retrouva sans dif-ficulté le chemin de l'ermitage en contournant les pentes par une boucle de la rivière. Toujours appuyé sur le bâton d'Osaki, un pan de sa chemise contre sa tempe, il se dit qu'il lui serait plus facile de rencontrer un bouddha en enfer qu'un être humain dans ces parages – à moins de s'asseoir trois années sur une pierre.

C'était d'identiques tourments chaque nuit. Et toujours, à l'heure du hibou, il allait errer dans la ténèbre hantée des forêts, titubant, pour échapper à cette folie. Les grands arbres frissonnants apaisaient un moment sa fièvre. Il n'y avait pourtant plus de désir en lui, ni la moindre amertume, toute idée de possession ou de conquête s'était évanouie avec celle d'avenir. Mais le regret ravageait ses nuits et le souvenir des jours passés se décomposait en lassitude infinie. Il ne pouvait se défendre du remords ; sa mémoire était-elle autre chose ?

Des chauves-souris pourchassaient les lucioles vite éteintes dans un froissement. De lourds papillons couleur de cendre voletaient à coups d'aile ascensionnels, croyant sans doute atteindre la lune. Les trembles soudain frémirent puis graduellement se ployèrent au vent d'est. Matabei fut traversé à cet instant d'une sorte de sommation impersonnelle qui l'incitait, du fond le plus obscur, à se mettre en marche, à s'engager sans plus attendre sur les sentiers de la deuxième montagne. Cette décision venue d'ailleurs parut le soulager. Depuis des semaines, il s'était senti traqué dans ses pensées les plus anodines, sollicité absurdement par les éclats inconnus de la nuit. Dans son esseulement, sans cesse alimenté par les querelles intestines de l'effroi et de la perplexité, l'impression d'être suivi à chaque pas, d'être épié en tout lieu, avait pris les proportions de la forêt. Sur sa tête, les galaxies lui semblaient scintiller de manière intentionnelle, en dépit de l'ordre cosmique. La réalité vibrait d'un rayonnement noir qui s'excavait en éblouissements brusques.

À l'instant où les feuillus se mirent à bruire, sans qu'il sût quoi faire vraiment, le projet de réparation s'imposa du dehors, injonction concertée d'une multitude d'infimes particules constituant les ombres, le vent, les arbres, les insectes, les étoiles. Simplement, il devait mettre un pied devant l'autre en direction de la deuxième montagne.

Une brume basse s'était résolue en rosée sur ses mains et son visage. Dans son trouble, devinant l'imminence de l'aube, il se laissait porter en avant comme un cerf sur sa menée. Les grives musiciennes et les merles à plastron s'étaient accaparé l'espace sonore. Bruants, rouges-gorges, fauvettes, mésanges, tout bruissa bientôt mélodieusement dans la lumière du matin. Sans retard, corbeaux et goélands y mêlèrent leur discordance.

Le soleil s'arrachait de l'horizon, derrière les futaies. Plus Matabei s'enfonçait dans l'épaisseur des chênaies et des pinèdes, plus ses membres se déliaient de cette curieuse anémie qui accablait tout son être depuis la tragédie. Il ne se sentait pas moins faible mais comme affranchi d'un lest de plomb.

Quand le lac Duji lui apparut entre les arcades des escarpements et les sombres entassements polyédriques des forêts d'épicéas, il comprit enfin toute la signification de son élan vers ces hauteurs. Rien n'avait bougé ici, le reflet de la deuxième montagne, les plantations de théiers pareils à des alignements de tortues de bronze, la vieille barque attachée au ponton branlant et là-bas, sur fond de rochers et de lianes, à l'abri d'un grand cèdre, la pagode à deux niveaux qui se dédoublait elle aussi dans ces eaux concaves, avec plus loin, en fuyante perspective, le canyon et les cascades. En chemin, Matabei aperçut un écureuil volant à joues blanches, le museau d'un ours qui l'observait juché sur un bec de granite, des loutres noires au bord du lac. Il entendit le miaulement du milan au-dessus d'un lièvre siffleur. La lumière du jour, si entière à sa source, exaltait les variétés de ton de chaque couleur. La brise marine et au loin les nuages évoquaient la vivace alacrité des distances : rien n'apparaissait du grand désastre humain. Tout embaumait, les mille fleurs de montagne, l'humus épicé des forêts, les douceâtres vapeurs lagunaires. Comme une chanson, trois vers de Saigyō, l'ermite d'autrefois qui peut-être emprunta ces chemins, lui revinrent à l'esprit :

> *Puisse le ciel*
> *m'étendre inerte*
> *sous les cerisiers en fleurs*

Mais c'était maintenant l'heure des azalées, des iris et des aubépines rouges. Comment eût-il pu ignorer, depuis que passaient sur lui les fumées acides du littoral, combien les arbres, la faune, la moindre parcelle de mousse subissaient les retombées, jusque dans la moelle des os et les radicelles ! Cela le concernait-il pour autant ? Il n'y avait plus qu'un mouvement d'air entre lui et l'au-delà, à peine une respiration, comme un souffle d'endormie sur sa joue. Mais il lui fallait un intercesseur, un homme du culte en habit de cérémonie.

Parvenu au ponton, Matabei effraya sans le vouloir un couple de canards mandarins niché dans la barque carrée, lequel s'envola en nasillant vers les branches basses d'un chêne. Précédé de sa discrète compagne, le mâle s'était déployé comme une oriflamme aux savantes couleurs. La barque détachée ouvrit sur les eaux un éventail d'irisations. À sa proue, l'îlot grandit jusqu'à jeter son ombre – mais nul autre esquif autour du débarcadère ou sur l'étendue du lac.

En grimpant les marches taillées dans le rocher, Matabei se revit des années plus tôt, pareillement en quête d'assistance. Jamais n'est-on plus démuni dans ses pensées réelles que devant l'esprit des ténèbres. Il lui fallait un officiant, un homme du culte, pour apaiser les âmes de la butte. Ainsi poussa-t-il les portes et pénétra-t-il pieds nus dans le sanctuaire, appelant d'une voix effarouchée. L'écho lui apprit sa peur, sans qu'un miaulement vînt le rassurer. Surpris par la pénombre, il marcha jusqu'à l'autel où trônait l'effigie d'un bouddha en bronze cerné de porte-cierges massifs. Sous les lustres de gemmes noires, un carré de braseros éteints exhalait une forte odeur de calcination associée à des effluves de bonite fumée. C'est alors qu'il vit la silhouette assise entre le bouddha et un immense mandala dans son cadre de bois. Le moine aveugle ne bougeait pas plus que son modèle. Oserait-il interrompre sa méditation ? Il remarqua les tentures déchirées des armoires à treillis d'osier sous un rai de lumière, la poussière chargée d'insectes morts à ses pieds, puis une petite masse de poils et d'os déjetée sur le sol, une deuxième à quelques mètres, d'autres encore. La vue de ces dépouilles de chats l'instruisit tout à fait : il contourna la silhouette en position du lotus et distingua l'ocre ivoirin du crâne et les os des doigts sous la peau tannée. Répandues à ses pieds, les perles d'un rosaire s'étaient détachées, leur fil une fois rompu par les acides de la désintégration. Matabei avait entendu parler de ces ascètes aspirant à la momification par privation progressive, passant d'une pitance d'herbes et de résine de pin au jeûne complet, le corps déjà desséché au milieu des cierges et des fumigations de bois et d'encens, l'âme toujours en réflexion dans sa propre vacuité, jusqu'à l'extinction du souffle et de l'activité cardiaque. L'infortuné disciple du moine aveugle avait dû prier longtemps avant de déguerpir, laissant derrière lui les chats et cette momie.

Matabei salua, les mains sur le front, et s'enfuit pareillement.

Un silence d'île déserte régnait sur la contrée d'Atôra. Les oiseaux avaient migré ailleurs. Même les corneilles traversaient sans se poser les plaines du littoral. Les animaux domestiques peu à peu accoutumés à l'état sauvage ne hurlaient plus leur désarroi ; des carcasses de vaches et de chiens encombraient quelques enclos. Des équipes sanitaires armées de carabines de précision avaient été chargées, localement, d'abattre les bêtes errantes, d'autres encore de les capturer ou de les munir de bagues à dosimètres. Malgré les pollutions chimiques et les radiations, une végétation ligneuse avait poussé par endroits, rejets d'arbres détruits, efflorescence étique de vieilles semences, ronciers, troènes ou fougeraies. Au gré des dénivellations, de vastes étendues affouillées par la vague évoquaient les sols stériles et griffés d'impacts des planètes telluriques ; d'autres zones laissaient croître une végétation à peu près ordinaire, du moins à vue d'œil, avec des parcelles préservées sur les élévations : les fleurs de saison s'y épanouissaient, tout juste jaunies par la poussière, les pêchers, néfliers, goumis, abricotiers. Au niveau de la mer, le jardin de la pension Hison n'existait plus. Les érables et les cerisiers reprendraient vie, malgré leurs ramures fracassées, quand les pluies auraient lavé la terre. Seul le vieux châtaigner aux racines profondes verdoyait insolemment devant les décombres de la baraque.

Les bras et la barbe blanchis de cendres, les reins sciés, Matabei déposa la dernière urne, la plus grande, celle des deux amants à jamais réunis, à la suite des quatre autres, toutes bien calées au pied de l'arbre. Sur le bâton sculpté d'Osaki solidement enfoncé par un bout entre deux racines, les noms bouddhiques de chacun, conçus pendant le cérémonial, avaient été gravés au feu par ses soins : bien des jours étaient passés depuis le séisme, et il fallait hâter les adieux. Qui d'autre aurait pu y pourvoir ? Par ironie du sort, le survivant se trouvait être l'ultime officiant.

Le crépuscule prit Matabei de court. Il n'avait plus la force de regagner l'ermitage. Comme au deuxième soir du déluge, revenu de la cimenterie, il envisagea le chalutier encastré dans la charpente du pavillon. Avec ce qui lui restait d'énergie, il grimpa jusqu'au pont et se coucha sous la chaloupe de secours, après un regard au ciel assombri où les constellations semblaient s'inscrire au feu des *kanjis* dans son souvenir :

Parchemin d'étoiles –
tortue noire ou dragon vert
écrits au verso

Allongé de tout son long, la nuque roidie dans l'obscurité, il se remémora ces heures passées, les plus éprouvantes de sa vie, puisque le chaos ne peut se réfléchir. Les craquements conjugués des membrures de la quille et de la carcasse du pavillon le tinrent en éveil, empêchant les images de verser dans un rêve. Il était descendu la veille de la montagne, bien résolu à en finir. La folie des esprits avait gagné ses nuits en profondeur. La disparition d'Enjo, emportée par la vague en même temps que la vieille servante, ne lui faisait à présent guère de doute, mais ce constat était si intolérable que tout son être avait chaviré du côté des ombres. Dès lors à leur service, un bandeau noir sur le front, il s'était rendu sur le site du crématorium, distant de quelques kilomètres. Bâti sur une butte, l'édifice déguisé en pagode, avec ses cheminées d'évacuation à l'arrière, semblait n'avoir pas trop souffert du tremblement de terre, mis à part la vitrine de façade tombée en éclats. Matabei, qui s'était pourvu d'une lampe à pétrole et de bougies, avait dû se rendre à l'évidence : rien ne fonctionnait en l'absence d'alimentation électrique. De conception datée, l'installation avait un mécanisme relativement simple, sans raccourcis électroniques : deux cuves de gaz avec un système réglé d'allumage des circuits de projection pour atteindre la température de combustion efficace autour des encaissements de briques réfractaires. Comme il l'avait espéré, un bloc électrogène raccordé depuis l'extérieur au dispositif de mise à feu permettait de pallier les coupures de courant. Il ne lui fallut pas moins d'une journée pour remettre en fonction l'un des fours, une fois le bloc alimenté en fuel. Le système d'introduction du cercueil dans la chambre de crémation était hors d'usage, de même que le pulvérisateur, mais les ventilateurs semblaient en état de marche, du moins put-il le constater grâce au pommeau d'enclenchement manuel. La lumière intense et le grondement soudain de l'aire de confinement achevèrent de le tranquilliser : la réalité matérielle obéissait encore à ses facultés. Le jour qui suivit, Matabei alla se fournir au bourg proche : kimonos blancs, cônes d'encens et autres objets indispensables.

C'était par un matin de soleil, huit jours avant O-Bon, la fête des âmes, pendant le mois des fantômes, et le vent d'est portait si loin la rumeur de l'océan qu'elle se confondait avec le murmure des forêts de trembles sur les pentes. Sur le tertre où la fosse commune avait été creusée, une odeur pestilentielle prit Matabei à la gorge lorsqu'il dégagea d'un tas de branches et de pierres le cadavre en décomposition de l'enfant. Pour ne pas le démembrer, il le fit rouler dans un grand drap de lin avant de le soulever : le crématorium était distant d'une demi-heure à pied. Dans ses bras, la charogne se répandait en miasmes et des grappes d'asticots ruisselaient de part et d'autre du drap roulé, mais il avançait sans haut-le-cœur, d'un pas égal. Matabei ne ressentait d'ailleurs aucune répugnance, après tant de nuits à défier l'épouvante, seulement une grande douleur des sens. En regard de l'impermanence – il s'agissait de se le répéter comme le mantra de la lumière –, la putréfaction équivalait au déploiement parfumé des lilas. Rien d'autre n'avait lieu qu'un déplacement d'atomes. Il portait l'enfant en bredouillant des bribes de sûtras retenus au fil des ans :

Pour mettre en route la roue du Dharma
Je vais dans la cité de Kasi
Dans un monde devenu aveugle
Je bats le tambour du Sans-Mort

Deux journées et une partie de la nuit, Matabei poursuivit son office funèbre, déterrant les corps de la fosse et les trimbalant sur une brouette de jardinier ou à bras-le-corps jusqu'au site de crémation. Il dégagea chacun de sa housse de protection, le lava à l'eau de pluie avant de le revêtir du kimono blanc. Avec du plâtre, il restaura le front défoncé d'Aé-cha. Il enserra les entrailles répandues de monsieur Ho d'une large obi de soie. Après les avoir hissés l'un après l'autre, pour que leurs cendres fussent mêlées, il réunit face contre face Anna et Ken, les amants définitifs, dans l'un des cercueils de carton vernissé entreposés avec les urnes et les couronnes de céramique au fond du magasin d'objets funéraires. Au dernier convoyage, brisé d'épuisement, Matabei s'était demandé s'il allait lui-même survivre à l'effort continu, puisé aux sources du désespoir, et s'il ne devait pas plutôt s'allonger à son tour dans le rayonnement soutenu des flammes.

C'est avec un soin particulier qu'il lava le corps nu de dame Hison, l'habilla du plus beau kimono et coiffa sa belle chevelure d'encre une fois dépoussiérée. Pendant toute la durée de la crémation, il récita les sûtras à voix haute pour couvrir le souffle grondant des tuyères. Les cendres et les débris d'os rassemblés une nouvelle fois dans l'urne, à bout d'épreuve, il boitilla jusqu'au parking. Le cimetière d'Atôra, en contrebas, était submergé d'une épaisse couche d'alluvions déposée par la crue d'où émergeait, çà et là, un pignon ou une flèche de pierre. Là-bas, sur le littoral, un voile de vapeur s'élevait toujours de la centrale nucléaire au milieu des entrepôts et des pylônes. Assis sur une caisse de bois, à l'abri d'un auvent, Matabei s'était souvenu avec une saisissante précision des funérailles du peintre d'éventail, des sûtras récités par le moine aveugle et de la souriante Aé-cha maniant les baguettes pour recueillir des pieds à la tête les fragments d'ossements afin que le défunt ne se retrouve pas la tête en bas dans l'autre monde.

Plus poignante était dans son esprit la mémoire brouillée d'Enjo. Aurait-il eu le courage de lui offrir l'encens comme aux autres pensionnaires ? Sur le chemin du pavillon, chargé de l'urne de dame Hison, il s'était dit que l'usage des sels purificateurs n'aurait guère d'effet dans son état de déchéance et que les âmes errantes l'excuseraient peut-être de sa méconnaissance des rituels. La face et les bras maculés de cendres, il avait déposé la dernière urne au pied du châtaignier. Personne d'autre que lui n'était en charge du souvenir. Le rite tant bien que mal accompli, Matabei avait alors gagné l'épave coincée dans la charpente.

C'était une admirable nuit de printemps sous les soleils clairsemés de la Galaxie. Cirrus ou nébuleuses, deux visages se superposèrent à l'endroit d'un sourire. Il s'allongea enfin, paupières closes. Dormir sous une barque, à bord d'un navire échoué, pourquoi eût-il rêvé d'un autre voyage ?

Trempée de rosée
dans les parfums de cent fleurs —
tu t'éveilleras

Enjo aurait très bien pu s'appeler Osué, au fond des temps amers. Mais il ne voulait rien oublier. Comme les éventails d'Osaki, tous ses souvenirs attendaient l'instant d'être dépliés d'un seul geste, dans le jardin des retrouvailles.

Les saisons ne vieillissent jamais. Un éternel été succède au beau suicide du printemps. Et l'automne empourpre les érables à l'heure dite. Face au proche océan, les feuillus des pentes recevaient les embruns aux jours de tempête ; en l'espace d'une nuit, ils pouvaient virer du *bleu feuille*, au jaune le plus acide, tandis que les mêmes arbres, sur l'autre versant, connaissaient toutes les variations et nuances que l'absence du mot « vert » rend possible. Attachés à leur territoire, les animaux des forêts étaient comme un prolongement ludique de la flore – macaque à face rouge peuplant les grands ormes et les arbres à liège, chien viverrin au masque d'esprit dans les sous-bois, grive dorée fondue sous une nuée d'orage, sanglier grogneur festoyant de fanes et de châtaignes, tapir dévoreur de rêves au museau luisant d'un sang de fourmis. La dernière cigale de l'aube répondait à l'ultime grillon du crépuscule. Personne cette année pour la chasse aux feuilles rouges, pas un pèlerin. L'automne passerait ainsi en confidence – pour le contempler, personne jamais plus, pas même l'enfant fantôme qui lèche les lampes à huile.

Matabei ne quittait plus les hauteurs de l'ermitage. La splendeur des forêts, à peine inquiétée par les dispersions d'isotopes, outrepassait cette beauté qu'on partage d'ordinaire en silence. Sans autre compagnie que lui-même, il avait le sentiment d'une altération continue – du temps qui passe, de ses forces vitales, surtout du lien avec le monde, lente hémorragie aux quatre veines. Un paysage de disparition volait ses ors et ses cuivres à la mémoire d'anciens automnes. Le passage des oies sauvages et des grues cendrées, entre les deux montagnes, ajoutait au sentiment d'abandon. À tout moment, particulièrement lorsqu'il s'aspergeait comme un corbeau dans la rivière, Matabei repensait à sa mère, aux bains chauds qu'il prenait enfant avec elle. Il gardait l'image d'une danseuse penchée aux trois visages – de tendresse, d'insensibilité et d'étrange affliction. Entre elle et lui, combien de lunes et de soleils. Incendie dans la brume, l'agonie des feuilles exposait avec une si impavide et cruelle méticulosité cette délicatesse du temps qui passe. Était-ce ce qui manquait au peintre, cet adorable inachèvement vivifiant, comme à la pointe d'une lame, le spectacle de la nature ?

Dans son atelier reconstitué, Matabei avait repris l'un après l'autre les éventails délavés, les comparant, les déployant côte à côte, des journées entières à chercher l'ordre perdu d'une suite d'imperceptibles lavis. Quelques traces d'encre pouvaient le laisser interdit longtemps devant l'évasif chef-d'œuvre. Il ne se souvenait d'aucun dessin en particulier, d'aucun haïku d'Osaki Tanako, seulement d'une impression profuse faite de liberté et de grâce, laquelle eût atteint à la perfection si l'art n'était au contraire, *halte sur des chemins oubliés,* l'inachèvement suprême.

Décidé à reconstituer feuille après feuille, page après page, la mémoire du vieux maître, Matabei avait repris ses encres et ses pinceaux. Quelques stries fondues dans le bleu ou le gris ravivaient des perspectives, l'empreinte d'un ou deux traits, par leur cursive inclination, suffisaient à lui indiquer, croyait-il, l'ordre et la direction d'un caractère entier. Ainsi recréait-il maintes scènes et légendes avec l'application du délire, peu soucieux des dégradations de sa santé. La maladie, comme la folie, n'existait que dans le regard des autres. Et il n'y avait personne pour juger de son état physique ou mental. Le macaque éclopé qui venait piller sa récolte de fruits au pied de l'escalier était sans doute plus conscient de son malheur. Exclu de sa horde, il cherchait peureusement une protection en lui montrant les dents. Sans préventions ni craintes, l'habitant de l'ermitage laissait les animaux le visiter à leur guise, n'était-il pas désormais pareil à eux, un *kichiku,* une simple bête dépossédée de tout avenir dans la montagne maudite ?

Dès que nausées et maux de tête cessaient, Matabei reprenait où il l'avait laissé le legs invisible du vieux maître. Il travaillait à sa réparation avec acharnement dans un monde désert, en réponse au vide qui l'assiégeait. Recomposer un jardin de pensée avec toute la patience de l'intuition, afin qu'un jour pût renaître ou pas le jardin réel, au gré des désirs et de la providence. Qu'une telle possibilité existât à nouveau par son artisanat, c'était sa seule ambition, avant de céder la place aux mouches et aux corbeaux.

Peintre d'éventail –
les feuilles de son jardin
toutes bientôt peintes

Alors qu'il dessinait un sol couvert d'aiguilles de pins ou les mille ombres et lueurs d'un plan d'eau sous les feuilles du saule, une détresse s'infiltrait en lui : quel ours vagabond accepterait de sauver ces miracles irradiés ? Quel braconnier inconséquent ? Tout, par ici, était à sa disposition, fermes, boutiques, granges, temples, navires, vergers croulant sous les fruits, moissons savoureuses de la forêt, mais il ne s'éloignait de sa clairière que pour aller respirer l'odeur de résine des épicéas, autour du lac Duji où les brumes du mont Jimura descendaient en spectres ponctuels juste avant la tombée du jour. Il revenait toujours à l'ermitage avec quelque inspiration du vent, vite couchée sur la feuille d'une belle encre noire, avant de se confier au sommeil ou à une mort attendue.

Bouddha des larves
par le nez s'échappe l'âme –
mouche entre les mouches

Au réveil, surpris par la fraîcheur de la nuit, il s'émerveillait d'être encore en vie et, le dos cassé, une sensation de déliquescence par tout le corps, il reprenait en main ses brosses et ses pinceaux qu'il lissait rêveusement comme les cheveux d'une femme. Des images brouillées, de sourdes perceptions, de vagues éclats s'égrenaient alors, sans fil pour les relier, aigrettes d'un sens perdu entre deux abîmes. Devant les lavis plus gommés qu'un ciel de brume, au fond insoucieux, faisait-il autre chose qu'assister au lent délitement de sa mémoire – enfants à leurs jeux d'autrefois, genoux écorchés, averse d'été dans une cour d'école, rondeur d'un sein échangée avec une tête de nourrisson, bruine du printemps sur le journal qu'on voulait lire, moine dubitatif appuyé sur son balai d'herbes sèches au milieu des feuilles mortes, bruits de hache derrière les vallons, lézard sur les dalles des marches d'un sanctuaire, cigarette jetée dans

l'eau d'un torrent, mélancolie d'une gare illumi-
née dans la nuit obscure, visages en larmes des
noyés d'Atôra, voix engorgées qui remplacent les
corps, brassées de fleurs sacrifiées avant leur temps,
sourire d'une jeune fille que l'instant dépossède…

Le vent de la mousson d'hiver tomba des montagnes. Une couverture rêche sous le menton,
tremblant de fièvre, Matabei se dit qu'il avait
convenablement travaillé : le jardin et la mémoire
du maître avaient repris forme jour après jour.
Par liasses gondolées, les éventails en feuilles et
les baguettes dépliées de ceux qu'il avait pu sauver
remplissaient désormais deux grandes valises
hermétiques ramenées à cette intention du bourg
proche. D'ici une ou deux semaines, la neige allait
tout recouvrir. Le sentiment de veiller sur un
trésor lui donnerait la force de vivre. Même sous
un mètre de neige, le cœur bat à son rythme.
Qu'était-il devenu, le fier Matabei de Kobe, amoureux des femmes et de sa destinée ? Il s'agissait
maintenant de faire le mort, longtemps, longtemps, comme une roche irradiée au césium.

C'est une photographie dans un magazine daté du printemps qui m'aura décidé. On y voyait mon vieux maître, tête nue, dans un triste état d'abandon physique et moral. Après le séisme du onze mars et ses suites dramatiques, j'ignorais tout de son sort   et celui de bien des gens de la région. J'avais moi-même perdu ma pauvre mère et pas mal de connaissances, emportées par le tsunami, à Katsuaro, dans le district de Fubata. Matabei Reien appartenait plus que tout autre à mon passé. Pourquoi me serais-je inquiété de lui en ces circonstances ? Une fois leurs secrets volés, c'est fou comme les grands hommes nous sont indifférents. J'admettais toutefois lui devoir à peu près tout, moi Hi-han, ex gâte-sauce de la pension de dame Hison, devenu un brillant universitaire, ce qui rendait ma rancune inexpiable. Il aura fallu ce mauvais cliché de presse pour que mes préventions tombent d'un coup, dans le saisissement du souvenir. J'ai aussitôt mené mon enquête auprès des administrations locales et des centres de réfugiés, sans trouver la moindre trace de Matabei Reien.

Un matin d'hiver, après quelques achats et sans rien confier de précis à ma toute jeune épouse, j'ai pris ma voiture afin de me rendre dans la région d'Atôra. Les grands axes du nord-est du pays avaient été rétablis, sauf sur le littoral. Les obstructions étaient nombreuses autour de la zone interdite : ponts effondrés, voies défoncées, barrages des forces de sécurité. On me contrôla, il fallut même rebrousser chemin deux ou trois fois. Mais je connaissais assez bien le district et pus sans autres embarras atteindre les contreforts de la première montagne par certaines petites routes de campagne, quitte à rouler sur la terre battue. Une désolation sans nom m'entourait à perte de vue, un monde lunaire aux allures de dépotoir. Il me fallut abandonner mon véhicule dans un fourré, au seuil de la contrée d'Atôra, en priant la trop belle Yuki-onna, divinité de la neige, de rester à demeure dans ses nuages. Sans protection particulière, à part un masque de rhume, je poursuivis à pied mon expédition, calculant malgré moi quelle durée d'exposition eût été suffisante pour déclencher un syndrome d'irradiation aiguë.

Quelques heures plus tard, dans le jardin dévasté, entre la carcasse de la pension grotesquement enceinte d'un bateau de pêche et la baraque effondrée du peintre d'éventail, j'étais prêt à renoncer avec un bien hâtif soulagement quand je vis les urnes cinéraires mal enfoncées en terre sous le grand châtaigner intact et le bâton planté avec ses inscriptions. À les lire, j'ai vite compris de qui elles étaient l'œuvre et me suis souvenu d'un refuge privilégié, là-haut, dans les forêts.

En fin de journée, après d'autres heures de marche, la main géante du ginkgo me fit signe. C'est avec une sincère émotion que j'ai retrouvé l'ermitage, en aval du lac Duji. N'y tenant plus, le cœur battant, les épaules sciées par mon sac à dos, j'ai grimpé les quelques marches jusqu'à la porte. Matabei était bien là, alité sur une natte. Il respirait certes, mais tout semblait indiquer le ralentissement des fonctions vitales. Je m'approchais, en larmes, pour tâter son pouls. Ses paupières clignèrent alors sur un masque cireux et il me considéra avec douceur et calme, comme si je revenais d'une promenade.

— Hi-han! mon cher Hi-han! a-t-il bredouillé en me montrant du doigt un petit réchaud. Faisnous du thé bouillant et viens donc t'asseoir près de moi.

Nous avons longuement devisé. Matabei m'a raconté comment s'était passé sa vie et celle du voisinage depuis mon départ précipité, il s'est confié généreusement à moi, ne lésinant pas sur les détails. Enfin, à bout de souffle, il s'est un moment tu, puis, balayant d'un soupir ces jours et ces années, il a désiré s'instruire de ma carrière et de ma vie. Gêné, j'ai voulu éluder pour revenir à sa situation : que faisait-il dans cet abandonnement, malade, en pleine zone irradiée ? Matabei qui avait sans doute dépassé la *walking ghost phase*, plaisantait avec bonne humeur, en faisant mine de déguster son thé chaud.

— Pourquoi quitterais-je ce paradis ? Il ne me manque rien ici, je peux même me glorifier de la compagnie d'un singe, un macaque que j'ai soigné et qui revient me voir à l'insu de sa tribu.

— Je ne peux me résoudre à vous laisser seul dans l'état où vous êtes. Une ambulance va venir vous chercher dès demain…

— Autant ramener une barre d'uranium ! Ici, je suis heureux, j'ai accompli tout ce qui devait l'être. Seulement, tu vas emporter avec toi ces deux valises. Elles ne sont pas très lourdes…

— C'est vous que je veux ramener !

— Nous verrons, dit-il, après avoir réfléchi. Emporte d'abord ce bagage !

— Vous accepteriez ?

— Peut-être bien, si je ne rends pas l'âme avant que mon thé soit froid. À la condition que tu les prennes, ces valises : elles contiennent la plupart des éventails en feuilles et une partie des éventails montés d'Osaki Tanako, je les ai restaurés de mon mieux après l'inondation, c'est son œuvre, je me suis souvenu de chaque lavis, de chaque poème. C'est un trésor de l'humanité…

J'acquiesçai volontiers, songeant qu'il me faudrait effectuer deux allers et un retour à pied jusqu'à mon véhicule et que je n'avais plus une minute à perdre si j'espérais rentrer avant la nuit.

Au moment de sortir, je tombai en arrêt devant trois admirables éventails épinglés aux cloisons. Des coulures rendaient l'un d'eux à peu près illisible. On y distinguait une envolée de feuilles d'érable au premier plan et, au loin, le mont Jimura découpé dans l'azur. Mon vieux maître avait suivi mon regard. Il m'interpella doucement.

— Quand c'en sera fini de cette pénible comédie, cher fils, promets-moi d'achever dignement le travail…

Je ne sus quoi répondre et sortis, les larmes aux yeux. Un froid glacial montait du sol avec les ombres du crépuscule. Au retour du premier transport, Matabei Reien, toujours dans son lit, eut un sourire de satisfaction. Cette fois, je lui fis mes adieux promptement, désolé de n'avoir pas osé me confesser à lui. Mais il m'avait pardonné, son beau regard mourant en témoignait plus que toutes nos paroles. Je descendis donc la deuxième valise, si habité par la hâte de retrouver la chaleur de mon appartement tokyoïte que je manquai dégringoler. Mais à peine eussé-je fait trois pas entre les chênes bleus que la honte me saisit. Posant mon bagage, précipitamment, je retournai à l'ermitage. Matabei me considéra d'un œil amusé.

— Pas question de vous abandonner ! m'exclamai-je. Je reviens vous chercher, le temps d'amener la deuxième valise. Nous nous débrouillerons…

— Mais la nuit tombe, il va neiger.

— Alors je dormirai chez vous et nous partirons au petit jour. Je vous porterai sur mon dos…

— Écoute le vent qui souffle, dit-il soudain. On peut passer sa vie à l'entendre en ignorant tout des mouvements de l'air…

Ce qui eut lieu ensuite, je m'en souviens comme d'un cauchemar d'enfant. De nouveau sur les pentes au retour de mon deuxième voyage, j'aperçus une lueur mouvante, comme une torchère au-dessus des arbres. C'est hors d'haleine que je parvins à la clairière. Il neigeait à gros flocons, il neigeait et l'ermitage flambait, éclairant les chênes et le ginkgo. J'avais remarqué sans y prendre garde deux jerrycans sous l'escalier. Il fallait bien que Matabei se protégeât d'un si grand froid ! Il partit en fumée ce soir-là, lui et son beau secret de peintre d'éventail. Je passais la nuit entière à me chauffer à son feu, me rapprochant au fur et à mesure que l'incendie s'atténuait.

Neige sur les cendres ! À l'aube, il ne restait plus que des braises sur lesquelles voletaient les cristaux de glace. La crémation de Matabei Reien s'acheva selon un rituel unique, voulu par les divinités fantasques de la montagne.

Plus tard, au volant de ma voiture, les yeux

irrités par l'éclat des flammes et les fumées, je pris la route de Tokyo sous la trombe. Enjo m'attendait, elle m'attend chaque soir au milieu de ses livres, les yeux dans le vague, pareille à quelque héroïne sortie d'un roman de fantômes. Quand, penchée sur un miroir, elle coiffe sa longue chevelure, interminablement, j'ai l'impression de surprendre un saule pleureur qui se dédouble. Mais de quoi me plaindrais-je ? Sur le seuil, à mon retour, comme le saule de Ryôta, elle me sourit sans rien attendre ni exiger de moi.

Le contenu des deux valises vibrantes de césium de Matabei Reien, lorsque seul dans mon bureau je les ai enfin ouvertes, fut et demeure l'émerveillement de toute ma vie. Le jardin parfait, cette somme magique d'inachèvements, s'étale aujourd'hui sous mes yeux, et chacun de mes regards est comme une rose cueillie. Les poèmes répondent si justement aux lavis, par leur distance énigmatique, que j'en frissonne comme les bambous toujours jeunes dans la lumière et le vent. Sur l'œuvre effacée du vieux maître, Matabei avait certes rattrapé et su restituer la quintessence même de son esprit, cependant tous les éventails en feuille ou sur leurs montants de roseau, sont bien de sa main. Et qu'y a-t-il d'autre à sauver que l'esprit ? En allumant son propre bûcher, Matabei a voulu dire adieu à la neige, qu'elle eût l'apparence d'Osué, d'Enjo, ou de la déesse Yuki-onna. Il n'aura vraiment aimé que la fugacité d'un sourire, sur une route homicide ou dans les ramures mouvantes d'un saule, par temps de grand vent. Pense-t-il à l'éternité l'enfant qui grelotte devant un bouddha de neige décoré de son écharpe ?

Mon seul rôle, dans toute cette histoire, consiste à transmettre aux amateurs ces trésors irradiés – que leur auteur s'appelle Osaki Tanako ou Matabei Reien. La vie est un chemin de rosée dont la mémoire se perd, comme un rêve de jardin. Mais le jardin renaîtra, un matin de printemps, c'est bien la seule chose qui importe. Il s'épanouira dans une palpitation insensée d'éventails.

LA COUVERTURE
DU *Peintre d'éventail*
A ÉTÉ CRÉÉE PAR DAVID PEARSON
ET IMPRIMÉE SUR OLIN ROUGH
EXTRA BLANC PAR L'IMPRIMERIE
FLOCH / J. LONDON À PARIS.

LA COMPOSITION,
EN GARAMOND ET MRS EAVES,
ET LA FABRICATION DE CE LIVRE
ONT ÉTÉ ASSURÉES PAR LES
ATELIERS GRAPHIQUES
DE L'ARDOISIÈRE
À BÈGLES.

IL A ÉTÉ ACHEVÉ
D'IMPRIMER EN FRANCE PAR
L'IMPRIMERIE FLOCH À MAYENNE
SUR LAC 2000 LE QUATORZE NOVEMBRE
DEUX MILLE DOUZE POUR LE COMPTE
DES ÉDITIONS ZULMA,
HONFLEUR.

978-2-84304-597-4
Nº D'ÉDITION : 597
DÉPÔT LÉGAL : JANVIER 2013

✳

NUMÉRO
D'IMPRIMEUR
83552

✳

IMPRIMÉ EN FRANCE